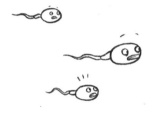

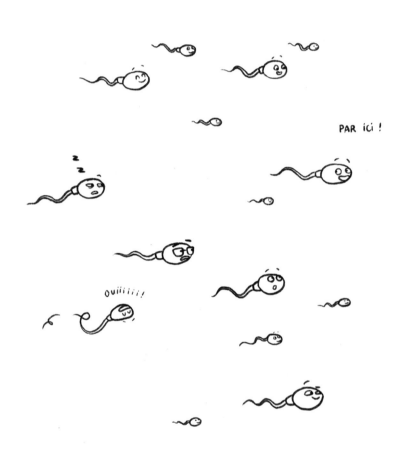

SURVÍVRE
à la grossesse

ET PLUS ENCORE...

TU VÍENS
SOUVENT ÍCÍ ?

JULÍE CHAMPAGNE & ANA ROY

MAMAN
pour la vie

PARFUM
D'ENCRE

INTRODUCTION

UNE BOUÉE À LA MÈRE!

Encore un guide sur la grossesse?
Hum, pas tout à fait...

MOT DE L'AUTEURE

Avant que des hordes de lectrices, enceintes et en colère, exigent remboursement pour tromperie sur la marchandise, mettons tout de suite les choses au clair : ce manuel n'énumérera pas froidement les derniers diktats de la périnatalité-obstétrique !

Confessions encore plus troublantes : l'illustratrice de ce livre n'est pas prête à enfanter demain et l'auteure n'est ni gynécologue, ni sage-femme, ni même accompagnante à la naissance. Elle a pour toute expérience dans le domaine deux grossesses et autant d'accouchements : les siens.

Et encore là, il ne faudrait pas croire qu'elle était une élève modèle du ventre gonflé. La rumeur dit qu'elle serait partie en plein milieu de son premier cours prénatal en prétextant une indigestion, mais qu'on ne l'aurait plus jamais revue…

Ce guide de survie se veut une bouée salutaire dans la mer d'informations qui submerge la femme enceinte. Les prescriptions médicales, les études contradictoires, les interdits alimentaires, les conseils non sollicités de la cousine du voisin de la coiffeuse… Il y a de quoi perdre la tête avant de perdre ses eaux !

Oui, on veut la vérité, toute la vérité, sur ce qui nous attend. On veut tous ces détails que nous révélerait notre bonne copine devant un verre de chardonnay. Mais on veut aussi de l'humour, de la compassion, de l'authentique, du pratique… Rire et dédramatiser, ça rend ces quarante semaines pas mal moins lourdes sur le nerf sciatique ! Surtout que la grossesse est un terreau fertile en anecdotes colorées et un dur exercice d'humilité, en cette époque de performance. Autant prendre les devants avec un peu d'autodérision !

Ça vous parle ? Alors servez-vous une tisane chaude (mais pas à la réglisse ou à la sauge, c'est contre-indiqué), surélevez vos jambes (c'est mieux pour les enflures) et laissez-vous guider sur les eaux de la future maternité !

- -

SURVOL CULTUREL

HOLLYWOOD Dans les réseaux sociaux, des vedettes hollywoodiennes sirotent un smoothie à saveur de placenta. Délire ou simple choix personnel ? Santé Canada déconseille vivement cette pratique, dont les vertus n'ont jamais été démontrées.

AMÉRIQUE DU SUD Après l'accouchement, le père cesse toute activité pendant 40 jours pour insuffler son énergie au bébé. Ce repos vient toutefois avec un prix : un régime draconien, dont une première semaine avec du bouillon de légumes comme seul aliment permis !

BRÉSIL La césarienne est tendance, avec 56 % des Brésiliennes qui y ont recours, surtout dans la frange la plus fortunée du pays. Pour enrayer cette épidémie, les médecins devront maintenant justifier l'intervention pour avoir un remboursement du gouvernement.

AFRIQUE Dans plusieurs pays africains, la tradition interdit aux femmes enceintes de manger des ananas, de peur que l'enfant naisse avec une peau crevassée comme le fruit. Dans la même logique, elles ne peuvent pas manger de tortue (l'enfant sera lent) ou de lapin (il aura un bec de lièvre).

PAYS-BAS Le modèle néerlandais favorise les naissances à domicile, avec un taux de plus de 30 % des naissances, contre une moyenne de 2 % au Québec ou dans le reste de l'Europe.

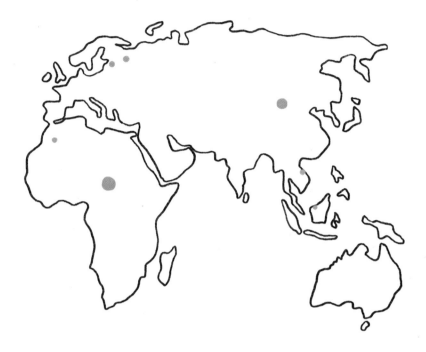

ALLEMAGNE Les établissements allemands mettent à la disposition des mères des lianes pour se suspendre ou encore des chaises d'accouchement trouées, pour qu'elles tirent profit des avantages de la gravité.

ASIE ET AFRIQUE On mange de la terre pour donner le goût du pays natal à l'enfant.

VIETNAM Si on veut énerver une maman vietnamienne, on complimente la beauté de son nouveau-né. On lui portera malheur!

MAGHREB Une femme enceinte contemple un étal dans un marché public? Le marchand lui offre un fruit. Il faut combler les rages alimentaires dans les plus brefs délais, de peur que la frustration de la future mère n'affecte le bébé.

MALAISIE Le placenta est nettoyé, couvert d'épices et enveloppé dans un tissu avant d'être enterré devant l'entrée de la maison familiale. Une aiguille, un crayon et un joli texte sont ajoutés dans le paquet, pour que l'enfant soit à la fois instruit et habile de ses mains.

- - - - - - - - - - - - - - - - - -

SURVOL HISTORIQUE

IL NOUS RESTE DES ŒUFS, CHÉRI ?

Durant la Rome antique, l'expulsion se fait debout ou accroupie, ou encore assise sur une sorte de chaise percée avec un dossier droit et des poignées.

Au Moyen Âge, le nouveau-né est accueilli avec une petite tape sur les fesses – un bébé qui pleure est un bébé vivant ! On coupe le cordon ombilical et on le noue. L'enfant est ensuite lavé avec de l'alcool, puis frotté avec du sel, du miel, du jaune d'œuf ou de la paille humide.

Avant la Renaissance, l'accouchement est une chasse gardée féminine. Même les médecins n'y assistent pas, ce qui ne les empêche pas d'écrire les premiers guides officiels sur le sujet et de conseillers les sages-femmes avec de pures conjectures. #mansplaining

Dans les siècles classiques, on apposait sur le ventre de la femme qui accouchait un vêtement appartenant au mari, comme le bonnet de nuit qu'il portait au moment de la conception.

Shhh....

C'EST SUPER CONFORTABLE !

En 1600, les deux frères Peter Chamberlen (Pierre le Vieux et Pierre le Jeune) inventent les premiers forceps obstétricaux. Cette famille d'accompagnants à la naissance sauve ainsi de nombreuses vies, mais refuse de partager son invention avec les autres médecins et sages-femmes, vus comme des concurrents. Le secret reste dans la famille pendant un siècle.

Les reines de France accouchent devant un vaste public, pour assurer la légitimité des rejetons royaux. En 1778, lorsque Marie-Antoinette donne naissance à son premier enfant, on monte sur les meubles pour l'apercevoir. Dans la cohue, la reine suffoque et la pièce doit être évacuée. TOUT LE MONDE DEHORS !

MON CORPS, MON CHOIX !

En 1853, la reine Victoria met au monde son huitième enfant après avoir inhalé, volontairement, du chloroforme à travers un mouchoir pendant cinquante minutes. Elle devient la première reine à avoir recours à une forme d'anesthésie pour accoucher. L'Église fulmine – *Tu enfanteras dans la douleur*, rappelle-t-elle. Mais Victoria est ravie, ce qui déclenche un phénomène mondial en faveur d'une aide médicale pour adoucir les naissances.

L'épidurale apparaît au début des années 1980. Enfin une injection qui réduit fortement les douleurs tout en nous permettant de rester conscientes! L'engouement est rapide: le nombre est multiplié par dix en quelques années.

- -

MONDE ANIMAL

Chez les HIPPOCAMPES, le mâle garde les œufs dans son ventre, subit les contractions et accouche de ses descendants. La palme du super papa, c'est à lui qu'elle revient!

À l'instar de ses autres cousines marsupiales, la maman KANGOUROU a une plomberie reproductive complexe, incluant deux utérus et trois vagins. Les spermatozoïdes se rendent aux utérus par les vagins latéraux, puis la larve sort par le vagin central, sa porte de sortie exclusive.

Certains mammifères peuvent mettre leur gestation en veilleuse après la fécondation. LES OURSES, LES LOUTRES ET LES TATOUS, entre autres, peuvent attendre jusqu'à huit mois avant de déclencher le processus, le temps que les conditions extérieures soient optimales – température agréable, nourriture abondante, humeur au beau fixe...

QU'EN DIRAIS-TU SI ON ACCOUCHAIT LA PREMIÈRE SEMAINE DE MAI ?

J'EN PEUX PLUS !

Reine de l'organisation, la maman SURICATE est capable de déclencher elle-même son accouchement. Son objectif : être en parfaite synchro avec les autres femelles du clan, pour ne pas gêner les migrations du groupe. À go on pousse, les filles !

Vingt-trois mois. C'est la durée de la plus longue gestation chez les mammifères terrestres, record détenu par l'ÉLÉPHANTE, qui accouchera d'un petit (!) de 230 livres. Les garçons, plus solitaires, resteront dix ans auprès de leur maman, alors que les filles ne la quitteront jamais. Les groupes d'éléphants se composent donc de grands-mères, de mères et de petites-filles, solidaires à la vie à la mort.

ÇA CHANGE UNE VIE.
JE NE REGRETTE RIEN !

En Angleterre, en novembre 2004, une portée de 24 CHIOTS voit le jour, soit la plus nombreuse de la race canine. On admire, mais on n'envie pas.

Pas de temps à perdre pour l'OPOSSUM, dont la gestation dure environ deux semaines. Les rejetons poursuivront ensuite leur développement, bien au chaud dans la poche ventrale, pendant une dizaine de semaines.

Loin dans les profondeurs marines, la patience du REQUIN-LÉZARD est mise à rude épreuve avec une gestation durant de trois à quatre ans.

L'HIPPOPOTAME accouche en eau peu profonde, inspiration bain thérapeutique. Elle ramène son petit à la surface en le cueillant grâce à sa tête plate. L'histoire ne dit pas si elle allume des chandelles et écoute de la musique zen.

C'EST CE QU'ON APPELLE PLONGER DANS LA VIE TÊTE PREMIÈÈÈÈRE!

ALLONS-Y AVEC LUC, iL FAISAIT LES PLUS BELLES TOILES.

Sélective, l'ARAIGNÉE ne se contente pas du premier bagage génétique venu! Après l'accouplement, elle stocke les semences de ses amants dans une spermathèque, question de pouvoir choisir celle qu'elle juge de meilleure qualité pour ses héritiers.

La CHAUVE-SOURIS accouche la tête en bas, les pattes bien agrippées au plafond de sa grotte. Le petit, aveugle à la naissance, doit aussitôt s'accrocher au pelage de sa mère pour éviter la fin programmée au sol.

Dès les premières secondes de sa transition utérus-atmosphère, le GIRAFEAU effectue une chute libre de cinq à sept pieds jusqu'au sol. Le plongeon acrobatique a pour principal avantage de rompre (peu délicatement) le cordon ombilical.

CHAPITRE 1

TOMBER ENCEINTE, UN JEU D'ENFANT (OU PAS)

AVANT TOI... PRÉ-GROSSESSE

On veut un bébé ? Les essais pratiques commencent...
et personne ne peut prédire leur durée !
Acide folique, libido programmée et autres joies
de l'aspirant parent.

ALLEZ, ON SE BOUGE
MESSIEURS !

RUSES POUR TOMBER ENCEINTE

Les médecins et autres gourous de l'utérus ne plaisantent pas avec le mode de vie des aspirants parents. Dans un monde idéal, il faudrait se sculpter une fertilité de fer bien avant l'inauguration des travaux pratiques. Et les hommes ne font pas exception !

AVANT LES ESSAIS

On mange bien, on se met au sport, on ne fume plus. Un peu comme nos résolutions du Nouvel An, en plus durable. On oublie également notre verre de vin quotidien, remplacé par un sage supplément d'acide folique qui préviendra les anomalies du tube neural, si on le prend au moins trois mois avant la conception.

L'alcool affecte aussi la fertilité masculine. Même une consommation de cinq verres par semaine peut produire des spermatozoïdes bas de gamme, et augmenter d'autant le risque de fausse couche. On signe un pacte de sobriété ?

Certaines études semblent démontrer que les testicules n'apprécient pas la chaleur, les pantalons et sous-vêtements serrés ainsi que le cellulaire trop proche de la zone sensible. Ces facteurs pourraient affecter la production de spermatozoïdes, et donc la fertilité. On ne prend pas de risque !

Autre bonne idée : le bilan médical, essentiel pour s'assurer en amont que la mécanique interne est en ordre. On en profite pour confirmer le délai minimal requis entre la fin de notre méthode contraceptive et le début officiel des galipettes.

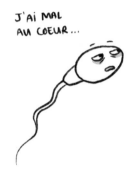

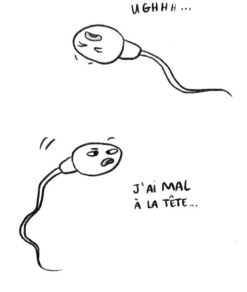

PENDANT LES ESSAIS

Oui, on sait comment faire un bébé. Mais grâce aux conseils glanés dans différentes bibles de la fertilité, on peut élever notre technique au niveau de l'art.

La fréquence

Le plus, le mieux ? Pas nécessairement. Trop de rapports sexuels pourraient réduire le nombre de spermatozoïdes et du coup, nos chances de conception. Pour des petits nageurs olympiques en abondance, certains recommandent de patienter 36 heures entre les ébats.

La position gagnante

On oublie le double tourniquet javanais ou toute contorsion exotique impliquant de chevaucher notre partenaire. Le missionnaire serait la position optimale pour aider les spermatozoïdes dans leur folle ascension.

Le bon moment

Quand on veut tomber enceinte, la vie ne se compte plus en jours ou en semaines, mais en cycles. On calcule notre période féconde à partir de l'équation suivante : [Durée moyenne du cycle] - 14 jours ± 3 jours. Voyez ? Math 101.

Le stress

Les urgences du boulot, les travaux routiers qui s'éternisent, la finale-choc de notre série préférée. Tous ces irritants peuvent compromettre notre statut de reine de la fécondité. Restons zen.

La haute surveillance

Glaire abondante et filante ? Col mou et redressé ? C'est l'heure ! Il existe de nombreuses méthodes pour nous aider à identifier plus officiellement le jour J :

· **La méthode de la courbe de température** : On prend chaque matin notre température, qui devient plus élevée le jour de l'ovulation.

· **La méthode Ogino** : On estime le jour de l'ovulation à partir de notre cycle menstruel, au 14e jour d'un cycle de 28 jours. Le hic ? Comme les cycles menstruels sont rarement réguliers, l'ovulation peut survenir le 9e jour comme le 21e jour, par exemple.

· **La méthode Billings** : On analyse tous les matins la glaire cervicale, une substance produite au niveau du col de l'utérus. Transparente et fluide, on est en période ovulatoire. Épaisse et opaque, ce n'est pas le moment.

· **Les trousses de détection de l'ovulation** : Coûteuses mais efficaces, elles mesurent la concentration de l'hormone lutéinisante (LH) dans l'urine, une hormone qui grimpe en flèche dans les 24 à 48 heures avant l'ovulation.

- -

Trop de rapports sexuels pourraient réduire
le nombre de spermatozoïdes
et du coup, nos chances de conception.

LES P'TITS TRUCS DE
GRAND-MAMAN FERNANDE

Pour les couples plus motivés (ou désespérés),
il existe aussi quelques trucs disons plus... créatifs !
À essayer à vos risques, sans aucun échange
ni remboursement !

La pleine lune

On ouvre grand les rideaux de la chambre et
on profite de cette ambiance romantique pour se changer
en loups-garous sous la couette.

Le poirier post-coïtal

Après une relation sexuelle, on élève gracieusement
notre postérieur, telle une gymnaste roumaine exécutant
une chandelle. Aussi discret que confortable.

La douche esquivée

Hors de question de perdre ne serait-ce
qu'un seul petit spermatozoïde !

L'eau de Vichy

Riche en minéraux et vitamines, cette potion
miracle stimulerait notre fertilité, à raison
d'un demi-verre par jour.

LE SMOOTHIE
DE LA FERTILITÉ

ET VOILÀ,
VOTRE TAUX DE FERTILITÉ
GRIMPE EN FLÈCHE !

100g de baies de goji

½ tasse
de yogourt de brebis

1 tasse de jus
de cantaloup

une poignée
de nigelle broyée

un soupçon de pollen
de palmier (choisir un
arbre beau et fécond)

une ampoule
de gelée royale lyophilisée

PETITES PANNES
OU BRIS MÉCANIQUES ?

Certaines championnes de la fertilité pourraient doubler la population mondiale en moins de temps qu'il n'en faut pour crier cigogne. Mais la plupart devront s'armer de patience.

En moyenne, l'attente avant d'obtenir une grossesse peut durer cinq ou six mois. Une femme en santé de moins de 35 ans peut cumuler un an d'essais infructueux avant que le corps médical ne lève un sourcil inquiet. On parle de six mois pour les femmes de plus de 35 ans.

La fécondité de l'homme diminue progressivement à partir de 50 ans, même si la qualité du sperme montre ses premiers signes de déclin à partir de 25 ans. Ça reste tout de même moins marqué que chez la femme. Le délai raisonnable avant de consulter dépend donc de l'âge de la femme.

LA & !%$# ! DE CIGOGNE

Derrière les volets clos de la chambre à coucher, un couple sur six est secrètement aux prises avec l'infertilité. Le désir de procréation prend alors des allures de véritable parcours du combattant, un chemin de croix pavé de frustrations, d'examens médicaux et de traitements hormonaux en tous genres.

Les techniques de procréation assistée, comme la prise d'hormones pour stimuler les ovaires ou encore la fécondation *in vitro*, peuvent venir à la rescousse, mais le combat est souvent long et éreintant.

INDICES POUR RECONNAÎTRE UNE ASPIRANTE MAMAN

ELLE ÉCLATE EN SANGLOTS DEVANT UN PYJAMA À PATTES.

ELLE ACHÈTE DES TESTS DE GROSSESSE EN PAQUET DE TROIS.

ELLE GROGNE QUAND ELLE APPREND LA GROSSESSE ACCIDENTELLE DE LA STAGIAIRE.

ELLE SE SAUVE AU BUFFET QUAND ON LUI DEMANDE « C'EST POUR QUAND, LES ENFANTS ? »

GRAINES À CIGOGNES

CINQ PHRASES PRATIQUES
POUR DÉJOUER LES INQUISITEURS

On nous mitraille sur nos intentions maternelles ? On nous presse de fonder une famille, alors que dans les faits, on fait face mois après mois à l'unique barre de notre test de grossesse ? Cinq phrases qui n'admettront aucune réplique.

« Et la planète alors ? Beaucoup trop antiécologique ! »

« La conjoncture économique est trop précaire. »

« Pas tant que des gouvernements corrompus tireront les ficelles du pouvoir mondial. »

« Pour tout dire, j'ai déjà deux enfants illégitimes avec mon amant californien. »

« Pour qu'ils me casent dans une maison de retraite et oublient de me téléphoner à mon anniversaire ? Jamais ! »

JE ME SENS NAUSÉEUSE,
ÇA Y EST !

EUH CHÉRIE,
JE CROIS QUE C'EST
PLUTÔT LES RESTES
QU'ON A MANGÉS ...

DANS UNE
SALLE DE BAIN
PRÈS DE CHEZ VOUS

Quand on essaie de tomber enceinte, on se concentre sur chaque sensation inhabituelle, chaque anomalie, en espérant y déceler un indice précoce de vie intra-utérine.

Pour nourrir encore plus la folie ambiante, les forums regorgent de témoignages de femmes qui jurent avoir flairé la bonne nouvelle avant même que l'hormone HCG (voir page 56) ne puisse être détectée par un test de grossesse :

Je suis un peu nauséeuse depuis ce matin... Vous croyez que c'est trop tôt pour réserver une place en CPE ?

Quand tu es enceinte, tu le sens, tu le sais. L'instinct maternel prend le dessus, tu entres en symbiose avec cet amas de cellules en nidification.

Depuis deux jours, j'ai un goût de fer dans la bouche, comme si je venais de frencher R2D2. Suis-je enceinte ?

AVANT,
J'AVAIS TRÈS PEUR DE
NE PAS AVOIR MES RÈGLES...

ET MAINTENANT
LA SEULE CHOSE
QUE JE SOUHAITE,
C'EST DE NE PLUS
LES AVOIR !

SYMPTÔMES PRÉMENSTRUELS

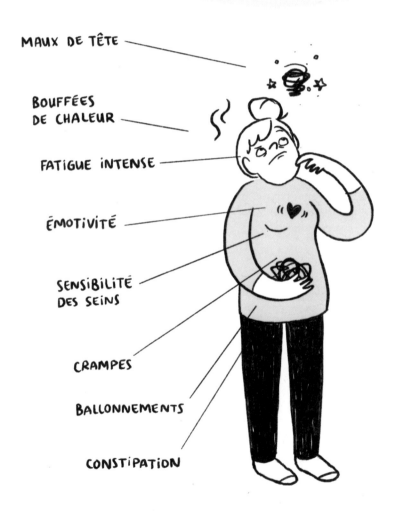

MAUX DE TÊTE

BOUFFÉES DE CHALEUR

FATIGUE INTENSE

ÉMOTIVITÉ

SENSIBILITÉ DES SEINS

CRAMPES

BALLONNEMENTS

CONSTIPATION

SYMPTÔMES PRÉCOCES DE GROSSESSE

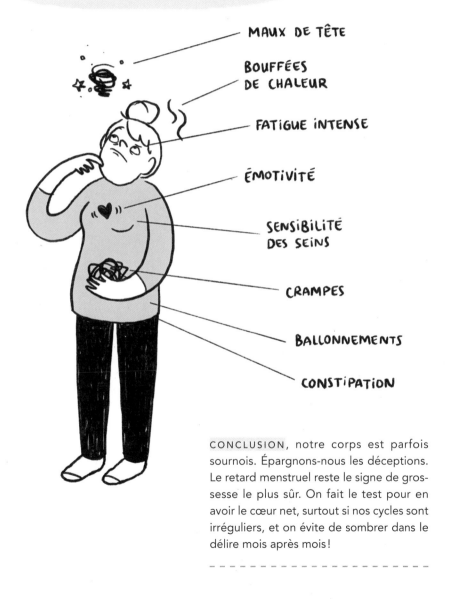

- MAUX DE TÊTE
- BOUFFÉES DE CHALEUR
- FATIGUE INTENSE
- ÉMOTIVITÉ
- SENSIBILITÉ DES SEINS
- CRAMPES
- BALLONNEMENTS
- CONSTIPATION

CONCLUSION, notre corps est parfois sournois. Épargnons-nous les déceptions. Le retard menstruel reste le signe de grossesse le plus sûr. On fait le test pour en avoir le cœur net, surtout si nos cycles sont irréguliers, et on évite de sombrer dans le délire mois après mois !

Grossesse précoce ou tardive ?

30,6 ans

Âge moyen de la maternité au Québec en 2016.
En 1976, ce chiffre était de 27,3 ans.

2013

Année pendant laquelle la fécondité des Québécoises de 30-34 ans a surpassé pour la première fois celle des 25-29 ans. La tendance se maintient depuis.

35-39 ans

Depuis 2011, les Québécoises de 35-39 ans affichent une fécondité supérieure à celle des femmes de 20-24 ans. La fécondité des femmes de 40-44 ans surpasse celle des adolescentes de 15-19 ans.

GROSSESSE TARDIVE : ON SE LANCE OU PAS ?

Les avantages

ON A UNE VIE AMOUREUSE PLUS STABLE (GÉNÉRALEMENT)

ON A UN STATUT SOCIOÉCONOMIQUE PLUS ÉLEVÉ (PARFOIS)

ON EST PLUS ÉPANOUIE ET AFFIRMÉE – ON SAIT CE QU'ON VEUT (OU PAS!)

ON EST PLUS INFORMÉES ET RÉALISTES FACE À LA PARENTALITÉ – ON A VU NOS AMIES, SŒURS ET BELLES-SŒURS QUI EN BAVENT DEPUIS DES ANNÉES!

... ET LES VERGETURES DE GROSSESSES SONT RARISSIMES À CET ÂGE!

Les bémols

· **La fécondité** : Après 35 ans, le plus grand risque est... de ne pas arriver à tomber enceinte. On estime à 35 % le nombre de femmes qui réussiront réellement à devenir mères passé 40 ans.

· **La fausse couche** : Entre 35 et 39 ans, ce risque est de 18 %, contre 34 % à 40 ans et 53 % à 45 ans.

· **Les grossesses multiples** : Au-delà du fait que plus de femmes ont recours à la stimulation ovarienne ou à la fécondation *in vitro*, le risque de grossesses multiples est plus élevé, même pour les conceptions naturelles, surtout chez les femmes de 35 à 39 ans!

· **Les risques médicaux** : Après l'âge de 35 ans, certains risques médicaux, qui étaient latents jusque-là, peuvent se manifester naturellement, comme l'hypertension, le diabète gestationnel, les décollements placentaires et les fibromes utérins. Les femmes de 40 ans ont aussi davantage de malaises de grossesse – fatigue, maux de dos, insomnie, rétention d'eau...

· **Les anomalies chromosomiques** : Le risque qu'un enfant soit porteur d'une anomalie chromosomique, comme le syndrome de Down, augmente avec l'âge de la mère, bien que celui du père ait également une influence. À 35 ans, on a 1 chance sur 180 que notre enfant soit atteint d'une anomalie chromosomique. À l'âge de 40 ans, on a 1 chance sur 60, puis à 45 ans, 1 chance sur 12. On parle du test de dépistage à la page 116.

· **Les malformations** : Toutes les malformations du fœtus, incluant celles du cœur, du système nerveux et du système digestif, augmentent légèrement chez les femmes enceintes âgées de plus de 35 ans.

· **L'accouchement** : Les risques de complications en tous genres augmentent aussi: césariennes, présentation du bébé en siège, hémorragies post-partum, prématurité et bébé de faible poids.

Au-delà de ces mises en garde, les multiples complications demeurent rares et un bon suivi de grossesse, doublé d'une bonne hygiène de vie, contribue à en diminuer les risques.

- -

CHAPITRE 2

CETTE FOIS-CI,
CE N'EST PAS
UNE POUTINE !

LA NOUVELLE

PRÉ-GROSSESSE

Rien ne se devine encore, pourtant tout a changé.
Comment annoncer la nouvelle sans provoquer
d'incident diplomatique ? Notre plan de dévoilement
digne des fins stratèges.

QUELQUE PART ENTRE L'EXTASE ET LA PANIQUE

La naissance d'un enfant bouleverse notre vie. Certaines nuits pour le pire, mais globalement pour le meilleur.

Ce qu'on oublie souvent, c'est que les turbulences commencent bien avant le premier salto intra-utérin de notre crevette. Dès les premiers jours, on subit une mutation irréversible, tant de corps que d'esprit.

Dans chaque recoin de notre anatomie, la grande révolution est en marche. On construit le palace de notre héritier. La circulation sanguine augmente, le cœur pompe en double, les hormones grimpent au plafond... Bref, c'est le chaos.

De propriétaire unique, on entre en colocation. Et quel colocataire! Il vide tous les nutriments qu'il trouve en stock, il réveille certaines de nous en pleine nuit avec son kickboxing et les entraîne même le nez dans la cuvette pendant neuf longs mois! De discret et minuscule, il finit par occuper tout l'espace et empiéter sérieusement sur notre territoire.

On perd le contrôle de notre corps. Mais alors totalement. On devient un hôtel en formule tout-inclus, un quartier général pour un tyran embryonnaire.

Et dans notre tête... Là aussi, c'est la pagaille! On alterne entre fébrilité et terreur, entre extase et panique. Une vraie corrida émotionnelle!

Et on a peur, surtout. D'avoir mal. De se tromper. De mouiller notre culotte de maternité au moindre éternuement. De ne pas être à la hauteur de cette mystérieuse créature qui pousse en nous...

Car oui, on se sent investie d'une mission sacrée. Un être minuscule et vulnérable dépend entièrement de nous. Comment est-ce possible, alors qu'on perd nos clés tous les matins?

Et si on n'était pas plus maternelle qu'une cuillère à café? Et si on était dépourvue de ce fameux don de soi? Serons-nous assez fortes pour satisfaire les lubies d'un dictateur en puissance, aussi mignon soit-il? Après tout, on n'a jamais été l'esclave de personne. Excepté peut-être de Netflix.

Non, créer un être humain en quarante semaines n'est pas de tout repos. C'est une aventure unique. Parfois belle, parfois éreintante. Mais toujours propulsée par notre amour surdimensionné pour ce petit miracle.

- - - - - - - - - - - - - - - - - - -

OH NON, C'EST POSITIF !

Accident de contraception, rupture de préservatif, relation impromptue... Notre grossesse n'était pas exactement prévue, ou du moins pas tout de suite. Et pourtant, nous voilà un test positif à la main, avec un air de marmotte hébétée devant les phares d'une voiture.

ET MAINTENANT, JE FAIS QUOI ?

On laisse passer le choc. On prend le temps de faire le point sur ce qu'on ressent face à cette nouvelle. En solo.

On en parle ensuite au papa, même si on craint un peu la réaction. Les couples qui n'ont pas planifié la grossesse ont souvent de la difficulté à y croire. Et c'est fréquent : de 30 % à 50 % des grossesses seraient imprévues !

Même quand il s'agit d'un bébé prévu et attendu, les doutes et l'anxiété peuvent rendre les premiers mois un peu plus difficiles. Imaginons quand bébé arrive comme un cheveu sur la soupe... L'incrédulité peut durer plusieurs mois. Pas de panique !

On se fait enfin à l'idée qu'on va avoir un enfant ? On peut toujours éprouver une vaste gamme d'émotions, et pas forcément en parfaite synchro avec notre partenaire.

La bonne nouvelle ? Même si on se sent bousculée, même si on hésite sur la marche à suivre, même si on a peur, on ne sera pas un mauvais parent pour autant... et notre enfant ne finira pas délinquant juvénile par notre faute !

- -

Cette bombe qui fait irruption dans notre vie peut se révéler une bonne surprise... ou au contraire une véritable catastrophe nucléaire.

Pleurer, nier, relire les instructions, rire, crier, oublier de tirer la chasse d'eau, voir sa vie défiler, danser, dire des gros mots, ramollir des genoux, vider un pot de crème glacée, sautiller sur place, envoyer un texto à tout notre arbre généalogique, fixer longuement le vide, applaudir frénétiquement, trembler, envisager la fuite dans un autre pays, immortaliser le bâtonnet sur Instagram.

On tue la une !

Envie d'annoncer notre grossesse ?
Le choix du moment nous revient. Certaines préfèrent
attendre la fin du premier trimestre, comme 80 % à 90 %
des fausses couches se déroulent durant les 12 premières
semaines. D'autres ne peuvent cacher leur bonheur
(ou leurs nausées) aussi longtemps.

Pour éviter une crise diplomatique, il est toutefois
recommandé d'adopter une stratégie de diffusion
en entonnoir inversée. On informe sans tarder le papa,
pour ensuite ouvrir aux proches, aux amis, au patron et
aux collègues, puis à la communauté virtuelle
intersidérale. Dans cet ordre !

Les futurs grands-parents pourraient se froisser
d'apprendre la nouvelle dans leur fil d'actualité.
Toute bévue pourrait coûter cher, alors qu'on aura
bientôt désespérément besoin de relève.
Prudence !

IDÉES POUR ANNONCER LA NOUVELLE

Pour le père

• On dépose le test de grossesse positif bien en vue, sur la table du salon ou la taie d'oreiller. On vaque à nos occupations comme si de rien n'était, en attendant que notre conjoint tombe sur le bâtonnet révélateur.

• On demande à notre amoureux de nous aider avec le lavage et on lui laisse le soin de plier cet adorable cache-couche qu'on aura glissé au préalable dans la brassée. Variation sur un même thème : on installe discrètement un siège de bébé dans la voiture.

Pour les grands-parents

• On a déjà un enfant ? On lui demande de dessiner notre famille, en ajoutant un bébé dans notre ventre. Mise en garde : notre complice vendra fort probablement la mèche aussitôt qu'il aura franchi le seuil de la porte.

• On offre en cadeau une paire de chaussettes pour nouveau-né, une suce ou un petit toutou. Un classique qui fait toujours son effet !

Pour les amis

• On remplit une boîte de ballons gonflés à l'hélium. Bleus ou roses, si on connaît le sexe du bébé, ou tout simplement blancs, avec l'inscription « bébé ». Quand nos amis ouvriront la boîte, une envolée symbolique dévoilera la bonne nouvelle.

• On ne croit rien sans preuve ? On patiente jusqu'à la première échographie et on fabrique une carte d'annonce à partir des photos de notre mini-*alien*.

Pour la famille élargie

• On apporte des œufs de plastique à une réunion de famille. Dedans, on cache un message décrivant le futur rôle de chacun : « Tu seras cousin le 6 décembre » ou « Tu seras grand-papa dans sept mois ». Pas de chicane !

• On est habile aux fourneaux ? On cuisine un gâteau dont l'intérieur, bleu ou rose, dévoilera le sexe de l'enfant à naître. Qui aura l'honneur de couper la première pointe ?

Et le patron ?

• Pas de confettis ou de chapeaux festifs ici ! On attend le premier rendez-vous chez le médecin, à moins de travailler dans un environnement dangereux qui exige un retrait préventif. On arrive à notre rencontre bien préparée, avec la date prévue d'accouchement, les vacances auxquelles on a droit et nos intentions de congé parental. On met l'accent sur l'aide qu'on pourrait apporter avant de partir : participer à la sélection et à la formation de notre remplaçant, l'instruire des dossiers, des contacts et des procédures. Autant que possible, on mise sur une transition en douceur, pour nous comme pour l'employeur !

RÉACTIONS EN CHAÎNE

JE VAIS ÊTRE GRAND-MÈRE !!!

LE PAPA

Bonheur. Déni. Angoisse. Délire. Toutes les réactions sont possibles, qu'elles soient consécutives ou simultanées. Si la grossesse est encore un concept abstrait pour nous, elle est carrément surréaliste pour lui. Après tout, rien ne se voit déjà. Il rêve parfois de son héritier de la couronne ou s'imagine en train de jouer au Playstation pendant des heures, au nom de la complicité père-fille. Mais autrement, son univers reste indemne. Pour le moment...

LES GRANDS-PARENTS

Les grandes effusions, c'est par ici. Impossible de taire cette nouvelle extraordinaire, peu importe qu'ils soient des vétérans ou des nouveaux venus dans le club sélect des grands-parents. Pour soulager leurs émotions extrêmes, ils dévalisent les magasins, achetant une tonne de pyjamas, de jouets et de gadgets qu'ils estiment tous essentiels. Oui, même cette peluche de panda ultra géante.

LA FRATRIE

Depuis quelque temps, le premier de la tribu réclame un camarade de jeu. Bien sûr, il militait principalement pour une gerboise, mais à compagnon donné, on ne regarde pas la bride! Alors, il arrive quand, ce petit frère? Neuf mois?! Mais c'est interminable! Qu'est-ce que c'est que ces délais de livraison ridicules? J'ai trop hâte que Batman joue au ballon avec moi. Comment ça, il ne s'appellera pas Batman?!

LA BELLE-SŒUR

Malgré ses cernes bleus et ses épaulettes en croûte de lait, elle rayonne de cette lumière céleste propre aux disciples de la maternité. Du haut de son expérience, elle n'a plus cette froide pudeur que les timides nullipares réservent à leurs semblables. Elle plonge directement dans le vif du sujet, n'épargnant aucun détail de sa déchirure périnéale, de sa vie sexuelle atrophiée ou des selles explosives du petit dernier. Elle sera notre *coach* de grossesse. Qu'on le veuille ou non.

L'ANIMAL DE COMPAGNIE

Il avait flairé la *gamique* bien avant tout le monde: il se passe quelque chose avec la maîtresse, mais quoi? Version protecteur, il ne nous quitte plus d'une semelle. Version méfiante, il nous observe avec angoisse, comme si on abritait une source de vie extraterrestre dans le creux de nos entrailles. Son règne est sur le point de basculer, il le sent. Notre ami poilu cohabite déjà avec un mini humain aux cris stridents et émissions parfois toxiques? Il frise la dépression nerveuse.

LE PATRON

Devant public, il nous félicite chaleureusement, louangeant le bonheur infini que nous réserve cette formidable aventure. Derrière la porte close de son bureau, il grommelle dans sa barbe, échafaudant des organigrammes complexes qui virent l'entreprise sens dessus dessous.

- - - - - - - - - - - - - - - - - - - -

UNE MAUVAISE NOUVELLE
(APRÈS AVOIR ANNONCÉ LA BONNE)

Les fausses couches sont observées dans environ 10 % à 15 % des grossesses, bien que de nombreuses interruptions passent inaperçues, car elles surviennent avant même la date prévue des menstruations. Fréquentes, donc. Mais pas plus faciles à vivre pour autant...

Les signes de fausse couche

SAIGNEMENTS ROUGE CLAIR À ROUGE FONCÉ (JUSQU'À 12 SEMAINES DE GROSSESSE)

CONTRACTIONS (APRÈS 12 SEMAINES DE GROSSESSE)

DISPARITION SOUDAINE DES SIGNES DE GROSSESSE – DOULEURS AUX SEINS, NAUSÉES, VOMISSEMENTS...

C'est notre cas ? Direction l'hôpital pour passer une échographie, une prise de sang et un examen. Un médecin pourra déterminer si la grossesse s'est interrompue. Avant 10 semaines de grossesse, un médicament peut être administré pour stimuler l'utérus et faciliter l'évacuation des tissus en quelques jours. Après 10 semaines, un curetage peut être nécessaire.

POURQUOI MOI ?

Dans la majorité des cas, la fausse couche est due à une anomalie génétique qui empêche le développement et la survie de l'embryon.

Certaines femmes ont également un risque accru de fausse couche, par exemple si elles souffrent de diabète ou d'hypertension. On bénéficie alors d'un suivi de grossesse spécifique. Le tabac, l'alcool et certains produits chimiques sont des facteurs aggravants. Une chute importante ou un accident d'auto, s'ils provoquent un décollement du placenta, peuvent finalement être en cause.

LE DEUIL PÉRINATAL

Tristesse, colère, culpabilité, incompréhension, impression de vide... La fausse couche est une expérience difficile. Plus de la moitié des femmes qui traversent cette épreuve la comparent à un véritable deuil. Les hommes vivent aussi de la déception, de la peine, de l'impuissance face aux sentiments de leur amoureuse.

Il n'existe pas de temps moyen ou de recette magique pour surmonter la peine. La clé ? On en parle. À notre amoureux. À notre meilleure amie. À notre sœur. À notre collègue qui a vécu la même chose. À une thérapeute, si on en ressent le besoin.

Et on reste confiante : la plupart des femmes qui ont eu une fausse couche peuvent connaître une grossesse normale par la suite. On attend simplement un cycle de menstruation normal avant de recommencer les essais bébé.

- -

CHAPITRE 3

NOTRE CORPS EN CHANTIER

PREMIER TRIMESTRE
DE LA FÉCONDATION À LA 14ᵉ SEMAINE
Prise de poids prévue : De 1 à 3 kilos

C'est la construction du nid ! Et comme tout projet de
rénovation, les travaux mettront certainement
notre corps (et nos nerfs !) à rude épreuve.
Quelques solutions pour tenir bon.

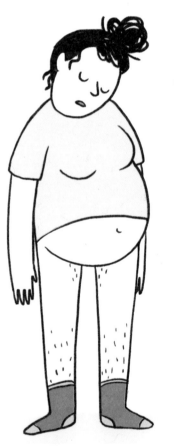

DIX VICES CACHÉS DU PREMIER TRIMESTRE

1. ON EST ÉPUISÉE

On cogne des clous devant notre patron, on s'écroule sur le divan avant 19 h 30, on envie secrètement les marmottes qui hibernent… Dès la nidation, soit sept jours après la fécondation, certaines hormones sont sécrétées en grande quantité pour assurer la bonne évolution de la grossesse. Une vraie bombe! Le résultat, une fatigue chronique, quoique tout à fait normale. Après tout, il faut procurer à notre organisme tout le soutien nécessaire pour développer une nouvelle vie. Pas une mince tâche!

L'antidote : On se réserve des journées de *farniente* et des siestes à volonté. On prend l'habitude de se coucher une heure plus tôt. On élague les projets et obligations.

2. ON A MAL AU CŒUR

Au saut du lit. Dans les transports en commun. Quand une collègue réchauffe son filet de saumon au micro-ondes. On a la nausée. De quoi faire passer notre pire lendemain de veille pour de la petite bière sans alcool! De 30 % à 50 % des femmes enceintes expérimentent les fameux maux de cœur, à divers degrés. En cause, le niveau élevé des œstrogènes et l'expansion importante de l'utérus. On s'accroche, la plupart disparaissant au deuxième trimestre.

L'antidote : On se garde des craquelins sur le bord du lit pour ne pas se lever l'estomac vide, on grignote pour éviter les repas copieux, on ne boit pas en mangeant et on prend de la vitamine B6 – en prime, ça nous donnera une jolie peau!

3. ON EST ÉMOTIVE

On pleure en regardant une publicité de shampoing, on s'emporte pour un rien. Un peu comme un SPM, mais décuplé et durant 14 semaines. Non, l'aventure ne commence pas en douceur. En plus de la fatigue et des maux physiques, les craintes de fausses couches et le stress devant l'inconnu accentuent notre émotivité.

L'antidote : On est indulgente envers soi-même. On a parfaitement le droit de vivre des hauts et des bas. On en parle pour se sentir moins seule. On s'accorde des moments qui nous font plaisir.

4. ON A TOUJOURS ENVIE DE PIPI

Notre futur héritier n'a pas encore atteint la taille d'une framboise qu'on a déjà un abonnement illimité au petit coin. Les causes? L'accélération de notre métabolisme, combinée à notre utérus en folle expansion qui exerce une pression croissante sur la vessie. Nos reins mettent les bouchées doubles pour éliminer nos déchets et ceux du bébé. Ça travaille fort en coulisse!

L'antidote : On ne tombe pas dans le piège de réduire notre consommation de liquide – hydratation avant tout! On peut limiter toutefois notre consommation de caféine et on s'entraîne activement aux exercices de Kegel.

5. ON A LA POITRINE SENSIBLE

Dès les premières semaines, nos seins sont plus volumineux, les aréoles plus larges et foncées. Ils sont aussi hypersensibles – même le contact de nos vêtements peut parfois nous faire grincer des dents! Déjà, le corps se prépare pour l'allaitement du bébé.

L'antidote : On troque le bain chaud pour une douche revigorante. On mise sur un soutien-gorge en coton, idéalement sans armature, qui assure un bon maintien tout en douceur.

6. ON MANQUE DE SOUFFLE

Gravir les escaliers nous semble aussi périlleux que de grimper le Kilimandjaro? Près de 60 % des femmes enceintes se sentent essoufflées. Au cours du deuxième mois de grossesse, notre masse sanguine augmente en flèche et notre cœur fait de 10 à 15 battements de plus par minute pour apporter plus d'oxygène dans le sang. De quoi ressentir un léger essoufflement!

L'antidote : On garde le dos bien droit, on dort en position semi-assise (à nous, l'oreiller supplémentaire), on évite les endroits où les gens fument et on fait des exercices doux pour étirer la cage thoracique. Un peu de yoga, peut-être?

7. ON A LA PEAU CAPRICIEUSE

Si on a le teint foncé, une ligne brune apparaît au milieu de notre abdomen. Si on a le teint clair, nos veines sont plus visibles. La montée rapide des taux hormonaux pourrait également provoquer l'éclosion de boutons sur notre joli minois.

L'antidote : On nettoie notre visage avec un savon doux, on boit beaucoup d'eau et on prend des suppléments de vitamine B6.

8. ON A DES SOUCIS DIGESTIFS

On se sent ballonnée, constipée? Bienvenue dans le club! Le processus digestif fonctionne au ralenti pour permettre à l'organisme de mieux absorber les nutriments essentiels à la construction des tissus du bébé.

L'antidote : On porte des vêtements amples, on évite les mets riches en gras, on mange plus souvent, mais de petites portions.

9. ON A DES GOÛTS(ET DES DÉGOÛTS) PARTICULIERS

On a un besoin vital de chips sel et vinaigre à 22 h 30? L'odeur des œufs miroir nous lève soudainement le cœur? Environ 85 % des femmes enceintes auraient des goûts bizarres lors du premier trimestre. Une théorie largement répandue veut que la corrida hormonale (encore elle) ait un impact sur le goût et l'odorat et, par conséquent, provoque certaines rages et aversions alimentaires.

L'antidote : On se fait plaisir, tout en privilégiant un régime sain et diversifié. Notre organisme aura ainsi tous les éléments essentiels à son bon fonctionnement... et au développement du fœtus!

10. ON A LES GENCIVES SENSIBLES

Elles sont irritées et saignent au moindre brossage. Le volume sanguin de la femme enceinte est en augmentation, dans les gencives aussi!

L'antidote : On passe la soie dentaire quotidiennement, on utilise une brosse à poils souples et un dentifrice pour dents sensibles.

- -

BON SUPER ...

JE M'ESSOUFFLE ...

EN ME LAVANT...

LES CHEVEUX !

C'EST LA FAUTE AUX HORMONES !

Torpeur, irritabilité, sautes d'humeur...
Pour chacun de nos maux, on accuse les hormones,
sans gêne ni retenue ! Présentation des grands
coupables et de leurs différents chefs d'accusation
(ou bonnes actions !).

QU'ON M'AMÈNE LES VARICES !

Hi Hi !

HCG

On a appris notre grossesse avec un test acheté en pharmacie ? La deuxième ligne est apparue grâce à la présence de l'HCG, l'hormone gonadotrophine chorionique de son petit nom. Active au début de la grossesse, elle bloque le fonctionnement des ovaires, empêche le retour des règles et permet à l'œuf de se développer dans la muqueuse utérine. Les nausées, c'est sa faute.

PROGESTÉRONE

Forte de son effet sédatif, elle décontracte tous les muscles du corps. Elle prépare ainsi l'utérus à la nidation et les glandes mammaires à l'allaitement. Reine officielle de la grossesse, elle nous impose ses innombrables caprices – fatigue extrême, constipation, varices et même acné de grossesse – elle active les glandes sébacées.

ŒSTROGÈNES

Le contrepoids de la progestérone ! Par leur effet excitant, ils aident la muqueuse utérine à se gorger de sang pour nourrir l'œuf fécondé. On leur dit merci pour la peau radieuse, la poitrine de déesse grecque et les cheveux brillants ! Pas merci toutefois pour les vergetures, les poils superflus, la rétention d'eau, la fameuse ligne brune sur le ventre, le masque de grossesse et l'hypersensibilité de l'odorat. Personne n'est parfait, pas même les hormones !

TU VAS VOIR, ÇA VAUT TELLEMENT LA PEINE !

CORTISOL

La principale hormone du stress. Si les tensions sont trop vives et soutenues, le cortisol peut avoir des effets néfastes sur notre santé et celle de notre bébé à naître. Les deux principaux risques ? La prématurité et un bébé de faible poids à la naissance. On inspire, on expire...

OCYTOCINE

Elle se manifeste en fin de grossesse et provoque l'accouchement. Reconnue pour son effet euphorisant, elle multiplie par mille notre bonheur de rencontrer enfin ce petit être merveilleux (et accessoirement nous faire oublier la douleur de l'accouchement). L'ocytocine contribue également à réduire le stress, facilite le sommeil après les boires nocturnes et consolide le lien d'attachement.

PROLACTINE

Elle déclenche et maintient l'allaitement. La prolactine a un effet plutôt relaxant, ce qui explique que maman et bébé sont généralement très détendus, voire somnolents, à la fin de l'allaitement.

VENTRE ROND, C'EST UN GARÇON !
(ET AUTRES MYTHES SUR LE SEXE DU BÉBÉ)

Un garçon ou une fille ? Dès l'annonce de notre grossesse, c'est la question qui est sur toutes les lèvres. Dans les faits, seule l'échographie autour de la 18ᵉ semaine peut nous révéler officiellement ce secret. Mais en attendant ce grand jour, rien n'empêche de nous amuser avec ces mythes et croyances. Les paris sont ouverts !

FILLE   GARÇON

Le ventre

Plus haut, en forme de melon d'eau	Plus bas, pointé et rond comme un ballon

Les signes de grossesse

Beaucoup de nausées matinales	Poils des jambes qui poussent plus rapidement
Sautes d'humeur	Mamelons très foncés
Urine foncée	Mains sèches et pieds froids
Cheveux qui virent au roux	Mine resplendissante
	Maux de tête

Les envies alimentaires

Rages de sucré	Rages de salé

Les battements de cœur de bébé

Plus vite que 140 battements par minute	Moins de 140 battements par minute

Le pendule

(On fait vaciller un pendule au-dessus de notre ventre ou sur notre main.)

Le pendule tourne en rond	Le pendule balance d'un côté puis de l'autre

Le calcul mathématique

(On additionne notre âge au moment de la conception avec le chiffre du mois de la conception.)

Nombre impair	Nombre pair

Le nombril

Notre nombril est rentré	Notre nombril est sorti

La lune

(On calcule le nombre de pleines lunes comprises entre la date des dernières règles jusqu'à la date prévue d'accouchement.)

S'il y en a 9	S'il y en a 10

PSITT!

En réalité, c'est le chromosome du spermatozoïde fécondant qui détermine le sexe de notre enfant. L'ovule fournit toujours un chromosome X. Le spermatozoïde fournit soit un chromosome X (donc l'œuf fécondé sera XX, une fille) ou un Y (donc l'œuf fécondé XY, un gars).

SIX QUESTIONS ENTENDUES CHEZ LE GYNÉCO

1. J'AI UN CHAT. QUELS SONT LES RISQUES POUR MA GROSSESSE ?

2. VAUT-IL MIEUX ATTENDRE LA FIN DU PREMIER TRIMESTRE POUR AVOIR DES ACTIVITÉS SEXUELLES ?

3. SE BAIGNER DANS UN SPA, C'EST INTERDIT ?

4. J'AI DES BILLETS POUR UN CONCERT ROCK. EST-CE QUE LE BRUIT POURRAIT NUIRE À MON BÉBÉ ?

5. PUIS-JE TEINDRE MES CHEVEUX ?

6. EST-CE QUE JE PEUX VOYAGER ?

RÉPONSES

1. Ses selles peuvent transmettre le parasite responsable de la toxoplasmose, une maladie qui atteint le fœtus par le placenta. Généralement asymptomatique et bénigne, elle peut toutefois provoquer une fausse couche, une naissance prématurée ou encore des malformations chez notre bébé. On délègue donc le nettoyage de la litière pour les neuf prochains mois. Pas de risque à prendre !

2. Si notre grossesse se déroule normalement, les activités sexuelles ne sont pas contre-indiquées. Mais soyons réalistes : si on est accablée par la fatigue et les nausées, on a fort probablement le désir en berne. Une fois ces inconforts atténués, plusieurs femmes retrouvent leur libido d'avant... voire plus ! Oh, et on nous murmure à l'oreille que chez certaines, la satisfaction sexuelle est parfois plus intense qu'avant la grossesse. L'augmentation de l'afflux sanguin dans la région pelvienne peut accroître la sensibilité dans cette zone. Plus de plaisir, plus d'orgasme !

3. Même si la chaleur ne nous incommode pas, le spa peut faire grimper la température de notre corps. Le hic ? Une augmentation importante, particulièrement durant le premier trimestre, peut être nuisible au développement du fœtus. Des études ont démontré une corrélation entre une haute température corporelle et le risque de fausse couche ou d'anomalie du tube neural. Si on choisit d'aller au spa, on limite notre temps de trempage à 10 minutes maximum et on évite les spas à une température supérieure à 39 degrés Celsius.

4. Même si notre abdomen et notre utérus filtrent la plupart des sons de fréquences élevées, les basses fréquences (trafic, ventilateur, climatiseur, enceintes acoustiques...) traversent plus facilement cette barrière. Les travailleuses enceintes exposées à des bruits riches en basses fréquences sont ainsi retirées de leur travail. On ne connaît pas le temps d'exposition sécuritaire pour le fœtus. Si on anticipe de la musique forte, en basses fréquences, il vaut peut-être mieux attendre la naissance de notre petit mélomane pour aller entendre notre groupe préféré.

5. Il n'y a aucune preuve que ces produits aient un effet néfaste sur le développement du fœtus. On se gâte !

6. La plupart des compagnies aériennes permettent aux femmes enceintes de monter à bord d'un avion jusqu'à la 36e semaine de grossesse. Cependant, certaines exigent une autorisation médicale. On pose la question avant de réserver. On discute également de tout voyage majeur avec notre médecin, pour évaluer les précautions à prendre. Est-ce que notre assurance voyage couvre les coûts si le travail se déclenche à l'étranger ? On fait les vérifications qui s'imposent !

GROSSESSE DE RÊVE...

MODÈLE OH-WOW-C'EST-TROP-LE-RÊVE !

Les symptômes ? Quels symptômes ? À votre passage,
tous les visages se tournent, hypnotisés par votre beauté
toute en rondeur et votre auréole de béatitude.

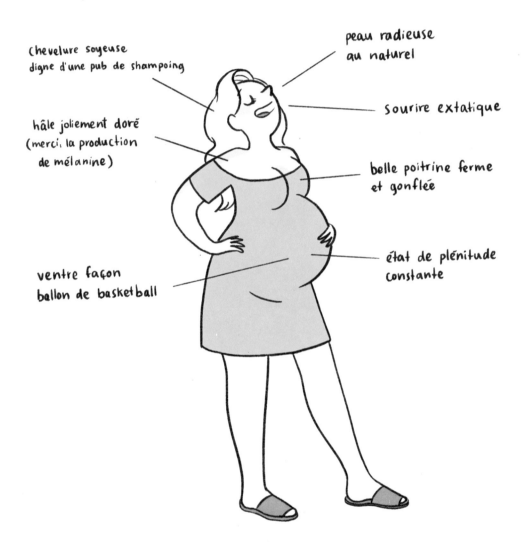

peau radieuse
au naturel

Chevelure soyeuse
digne d'une pub de shampoing

sourire extatique

hâle joliement doré
(merci, la production
de mélanine)

belle poitrine ferme
et gonflée

état de plénitude
constante

ventre façon
ballon de basketball

... OU RÉALITÉ

MODÈLE TU-ME-NIAISES ?!

On vous avait promis neuf mois de bonheur.
La mauvaise blague! Vous comptez les jours comme
une condamnée, en proie aux pires supplices du matin
jusqu'au soir. Vous êtes un béluga échoué sur la rive.

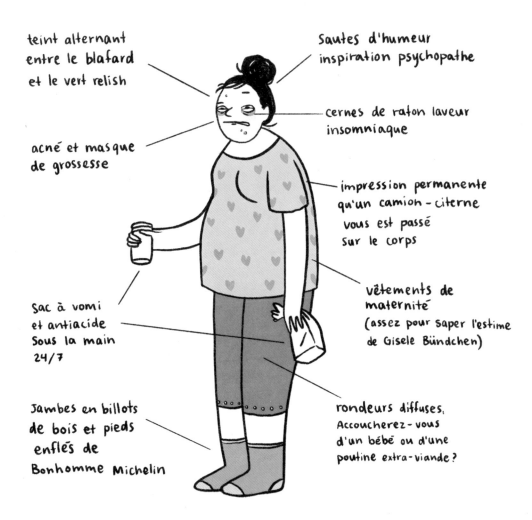

teint alternant
entre le blafard
et le vert relish

Sautes d'humeur
inspiration psychopathe

cernes de raton laveur
insomniaque

acné et masque
de grossesse

impression permanente
qu'un camion-citerne
vous est passé
sur le corps

vêtements de
maternité
(assez pour saper l'estime
de Gisele Bündchen)

Sac à vomi
et antiacide
sous la main
24/7

Jambes en billots
de bois et pieds
enflés de
Bonhomme Michelin

rondeurs diffuses,
Accoucherez-vous
d'un bébé ou d'une
poutine extra-viande?

EN FORME POUR BÉBÉ !

L'ALIMENTATION

Le premier trimestre est une période critique pour notre petit humain en formation : comme ses organes sont en plein développement, il faut nous assurer de lui fournir tous les éléments essentiels en quantité suffisante.

Mauvaise nouvelle pour celles qui avaient des ambitions gargantuesques : une femme enceinte ne doit pas manger pour deux. Dans les faits, nos besoins en énergie n'augmentent que légèrement durant la grossesse.

On est loin de la double portion ! Au-delà de la quantité des aliments consommés, c'est donc surtout la qualité et la diversité qui comptent. Au besoin, on complète avec des suppléments vitaminiques pour avoir l'esprit tranquille.

PREMIER TRIMESTRE

ON MANGE COMME D'HABITUDE. PAS PLUS, PAS MOINS.

DEUXIÈME TRIMESTE

ON AJOUTE 310 CALORIES PAR JOUR

TROISIÈME TRIMESTE

ON ESTIME 450 CALORIES DE PLUS PAR JOUR.

CH'EST LE BÉBÉ QUI M'A FORCHÉE, JE LE CHURE !

LES CONSEILS DE LA NUTRITIONNISTE

On fait le plein de ces aliments :

LES PRODUITS DE GRAINS ENTIERS

LES LÉGUMES COLORÉS
(VERTS, JAUNES, ORANGE, ROUGES)

LES FRUITS

LES PRODUITS LAITIERS PASTEURISÉS

LA VIANDE ET LA VOLAILLE BIEN CUITES

LES POISSONS

LES LÉGUMINEUSES

LES ŒUFS

LES NOIX

Le secret ? On privilégie les aliments frais et on varie les plaisirs !

Avec modération :

LA CAFÉINE

LE THÉ

Dangereux ? Peut-être pas... Mais Santé Canada recommande aux femmes enceintes de ne pas dépasser 300 mg de caféine par jour, peu importe sa provenance. C'est l'équivalent d'une tasse et demie de café filtre.

À éviter

En plus de l'alcool, certains aliments pourraient nuire à la santé de notre protégé, notamment en raison du risque d'infections accru qu'ils comportent.

LES TARTARES

LES ŒUFS DE POISSON

LES SUSHIS ET LES POISSONS CRUS, MARINÉS OU FUMÉS

LES HUÎTRES, PALOURDES OU MOULES CRUES

LES SAUCISSES À HOT-DOG CRUES

LES CHARCUTERIES FUMÉES OU SÉCHÉES

LE JAUNE D'ŒUF CRU

LES PÂTES À BISCUITS ET À GÂTEAUX

LES GERMES ET POUSSES CRUES (BIEN CUIT, LE CHOP SUEY !)

LES JUS DE FRUITS NON PASTEURISÉS

LES PRODUITS DE LAIT CRU

LES FROMAGES BLEUS

LES FROMAGES NON PASTEURISÉS

LES CROÛTES DES FROMAGES

LES RILLETTES ET PÂTÉS RÉFRIGÉRÉS À TARTINER

LE FOIE

LE SPORT

Être enceinte ne signifie pas de se vautrer sur le divan pendant neuf mois, bien au contraire! Demeurer active tout au long de notre grossesse est bénéfique, tant pour nous que pour notre bébé.

À moins d'une contre-indication du médecin, on en profite pour prendre un peu de temps pour nous et découvrir de nouvelles activités physiques. On bouge!

LES CONSEILS DU COACH

On s'efforce de faire 30 minutes d'exercice modéré chaque jour. On privilégie les activités avec un risque minimal de chutes ou de chocs directs. Plutôt que le ski alpin, l'équitation, les sports de combat, les activités en haute altitude, pleins feux sur la marche, la natation, l'aérobie, le yoga, la musculation douce...

Peu importe notre entraînement de prédilection, on s'assure de rester dans une zone d'intensité modérée. L'indice : on peut soutenir une conversation. Si on a l'impression de repousser nos limites comme une athlète en quête d'un nouveau record personnel, c'est non.

EST-CE QU'ATTACHER MES SOULIERS ÇA COMPTE ?

LES BÉNÉFICES

Pour nous...

AMÉLIORER LE SOMMEIL

DIMINUER LES DOULEURS MUSCULAIRES,
LES MAUX DE DOS ET LA DOULEUR À LA
SYMPHYSE PUBIENNE

DIMINUER LES RISQUES DE DIABÈTE GESTA-
TIONNEL ET DE HAUTE PRESSION ARTÉRIELLE

ÉVITER UNE PRISE DE POIDS EXCESSIVE

SOULAGER LA CONSTIPATION

REMONTER LE MORAL ET LE NIVEAU D'ÉNERGIE

FACILITER LE TRAVAIL À L'ACCOUCHEMENT

RÉDUIRE LE RISQUE DE RECOURIR À UNE
CÉSARIENNE NON PLANIFIÉE OU AUTRES
INTERVENTIONS

ACCÉLÉRER LA REMISE EN FORME APRÈS
LA NAISSANCE

FACILITER LA RÉHABILITATION PELVIENNE
ET ABDOMINALE APRÈS L'ACCOUCHEMENT

Pour bébé...

AUGMENTER LA CAPACITÉ FONCTIONNELLE
DU PLACENTA

FAVORISER UNE MATURATION NEUROLOGIQUE
PLUS RAPIDE

FAVORISER UN CŒUR EN SANTÉ,
UNE MEILLEURE TOLÉRANCE AU STRESS
ET UNE MASSE GRAISSEUSE MOINDRE

LES PRODUITS TOXIQUES

ÇA PASSE !

PEINTURES AU LATEX
(PAS TROP SOUVENT !)

PRODUITS MÉNAGERS
(BEL ESSAI, PAR CONTRE !)

CHASSE-MOUSTIQUES
(MAXIMUM 30 % DE DEET,
20 % D'ICARIDINE)

PAS TOUCHE !

PEINTURES À L'HUILE

PLOMB

DÉCAPANTS

NETTOYANTS INDUSTRIELS

PRODUITS AVEC AMMONIAC,
JAVELLISANT OU TÉRÉBENTHINE

HUILE DE CITRONNELLE
(ON ÉVITE L'EUCALYPTUS ET
LE CAMPHRE QU'ELLE CONTIENT)

RADIOGRAPHIES

DÉSODORISANTS ET
ASSAINISSEURS D'AIR AVEC SOLVANTS

ALIMENTS CONTENANT DU MERCURE

CONTENANTS OU JOUETS DE PLASTIQUE
AVEC BPA OU PVC

PESTICIDES (ON LAVE BIEN LES FRUITS
ET LÉGUMES !)

- -

PRODUITS MÉNAGERS APPROUVÉS PAR BÉBÉ

EN COLLABORATION AVEC DANS LE SAC

- 1 TASSE D'EAU
- 1 C. À SOUPE DE SAVON DE CASTILLE OU ½ TASSE DE VINAIGRE BLANC
- 20 GOUTTES D'HUILE ESSENTIELLE DE CITRON

PERCARBONATE DE SOUDE POUR REMPLACER L'EAU DE JAVEL !

- BICARBONATE DE SOUDE
- UN PEU D'EAU

FORMER UNE PÂTE ET LA LAISSER AGIR AVANT DE FROTTER !

♥ TOUS LES INGRÉDIENTS SONT DISPONIBLES EN VRAC POUR ÊTRE ENCORE PLUS ÉCOLO !

CHAPITRE 4

ENCHANTÉE !

CE PETIT ÊTRE EN SOI

Il est minuscule, un peu difforme, mais il évolue chaque jour de manière spectaculaire. Qui est cet extraterrestre qui grandit en nous ? Rencontre du troisième type.

À CHAQUE SEMAINE SES MIRACLES !

SEMAINE 5
Bébé Sésame

Plus têtard que créature humaine, notre colocataire est loin de chômer. Tous ses organes majeurs sont en développement. Le tube neural, qui deviendra le cerveau et la colonne vertébrale, apparaît. Les reins prennent tranquillement forme. Chaque jour, notre embryon double de volume !

SEMAINE 6
Bébé Pois jaune

Complètement enveloppé dans son sac amniotique, notre embryon célèbre son premier mois de vie intra-utérine. Le placenta se développe rapidement et poursuivra son expansion fulgurante jusqu'à la 20e semaine. Les bourgeons précurseurs des jambes et des bras apparaissent. Le tube digestif se forme, de même que la cavité buccale. La circulation sanguine de l'embryon devient perceptible... et son petit cœur tubulaire émet ses premiers battements ! Aon.

SEMAINE 7
Bébé Grain de café

Son visage prend forme, les narines sont perceptibles, la zone des yeux aussi. Les sillons des gencives où pousseront les dents de lait sont déjà formés. Le cerveau se développe rapidement – c'est le nerf de la guerre pour les prochains jours ! À l'échographie, il est possible de détecter ses battements cardiaques. L'œsophage et la trachée sont maintenant deux tubes distincts et les poumons apparaissent de chaque côté de ces structures.

SEMAINE 8
Bébé Haricot

Le squelette primitif est en formation. En raison du développement rapide du cerveau, sa tête est proportionnellement beaucoup plus grosse que le reste de son corps. Bon, pour dire les choses franchement, le fruit de nos entrailles est un peu difforme. Mais aveuglée par les yeux de l'amour, on le trouve déjà craquant ! Les cavités du cœur sont présentes, le sang circule. Les muscles se développent.

SEMAINE 9
Bébé Mûre

Sa tête s'arrondit et se redresse, ses yeux se rapprochent, ses paupières apparaissent... Dans son jacuzzi, notre bébé est actif, bien qu'il nous soit encore impossible de détecter ses mouvements. Les organes génitaux commencent à se développer, mais il est trop tôt pour reconnaître le sexe de notre enfant à naître. Notre organisme a besoin de beaucoup de calcium pour former les os et les dents de notre bébé. Un peu de cheddar pour dessert?

SEMAINE 10
Bébé Figue

Dix doigts, dix orteils... Les petits morceaux se mettent en place! Notre embryon est promu dans la catégorie des fœtus – sa forme humaine se précise de plus en plus! L'oreille externe présente sa forme définitive, de même que la lèvre supérieure. Les organes génitaux externes apparaissent, mais sont identiques pour les deux sexes.

SEMAINE 11
Bébé Limette

Attention, utérus en pleine expansion! Le foie, les intestins, le cerveau et les poumons présentent un début de fonctionnement autonome. L'intestin migre dans la cavité abdominale et les organes génitaux externes sont présents, quoiqu'il soit encore difficile d'identifier le sexe. L'iris de l'œil de notre bébé est maintenant formé. La croissance de la tête ralentit au cours de cette période.

SEMAINE 12
Bébé Clémentine

Notre bébé fait ses étirements – il bouge sa tête, ses jambes et ses bras... mais tellement discrètement qu'on ne sent rien! Les ongles des doigts et des orteils poussent. On distingue davantage les traits de son visage. La vessie est formée. Le fœtus absorbe et produit des liquides. À ce moment-ci, le placenta prend totalement en charge la production hormonale qui va permettre de mener à terme notre grossesse. Go, placenta!

ÉCHOGRAPHIE - 14e SEMAINE

SEMAINE 13
Bébé Pois mange-tout

Il gagne en longueur, ce beau fœtus ! Les premiers tissus osseux commencent à se modeler, notamment ceux du bassin, des côtes, de la tête et des membres. Ils sont toutefois plutôt mous. La colonne vertébrale se développe aussi, peu à peu. Parallèlement, les bourgeons des dents de lait apparaissent. La moelle osseuse produit ses premiers globules rouges. Les pigments de la peau se développent (alors qu'elle était translucide les semaines précédentes), l'épiderme se couvre de poils très fins, le lanugo. Des récepteurs tactiles recouvrent maintenant tout le visage, la paume des mains et la plante des pieds.

SEMAINE 14
Bébé Citron

Son visage s'anime ! Le fœtus grimace, fronce les sourcils, suce son pouce... Ce sont surtout des réflexes à ce stade, bien qu'il commence à réagir aux stimuli extérieurs. Autre primeur de la semaine : les empreintes digitales apparaissent... et une échographie pourrait vous dévoiler officiellement le sexe du bébé !

Ça baigne !

Tout au long de la grossesse, notre bébé baigne dans le liquide amniotique. Composé à 96 % d'eau, celui-ci se renouvelle constamment et contient des électrolytes, des éléments minéraux, des acides aminés et des cellules fœtales. Il est entouré d'une fine membrane, ce qui crée une poche hermétique dans l'utérus. Température stable, espace de jeux, protection contre les chocs et les infections... Un vrai cocon aquatique ! Le liquide amniotique apporte aussi certaines substances nutritives au fœtus, bien que l'essentiel lui provienne par le cordon ombilical.

PSITT !
Notre petit poisson ne respire pas à proprement parler, c'est le placenta qui assure l'apport en oxygène et l'évacuation du gaz carbonique !

BONHEUR SIMPLE, DOUBLE... OU TRIPLE

Notre grossesse se déroule normalement, on a hâte de voir notre petit trésor à la première échographie, quand soudain, coup de théâtre, l'image nous révèle non pas un, mais bien plusieurs bébés !

LES FACTEURS DE RISQUE

L'âge maternel. La proportion de grossesses multiples augmente régulièrement jusqu'à 36 ou 37 ans, où elle atteint un maximum, puis décroît rapidement.

Les prédispositions génétiques. Il existe des familles où les jumeaux sont plus fréquents.

Le rang de naissance. À âge égal, le taux de faux jumeaux augmente avec le nombre de grossesses antérieures.

Les techniques de reproduction assistée. Induction d'ovulation, insémination artificielle, fécondation in vitro... Ces techniques entraînent la maturation simultanée de plusieurs ovules, favorisant ainsi les grossesses multiples.

Baby-boom

Au cours des dernières décennies, le nombre de naissances multiples a explosé au Canada. Entre 1974 et 1990, sur 100 000 grossesses menées à terme, les naissances gémellaires ont augmenté de 35 % et la fréquence des naissances de triplés ou plus a augmenté de plus de 250 %. Au Canada, les jumeaux représentaient 3,1 % des naissances en 2010.

IDENTIQUES OU FRATERNELS ?

Les jumeaux identiques (monozygotes). On appelle jumeaux identiques ceux qui sont issus de la fécondation d'un seul ovule par un seul spermatozoïde. Une fois la fécondation terminée, l'ovule se divise pour former deux (ou plusieurs) embryons. Ces jumeaux sont donc génétiquement identiques : ils auront le même sexe, la même couleur d'yeux ou de cheveux, le même groupe sanguin... Les grossesses monozygotes sont rares : elles représentent environ 20 % des grossesses gémellaires.

Les jumeaux fraternels (dizygotes, trizygotes ou tétrazygotes). Lorsque deux ovules ont été fécondés en même temps, par deux spermatozoïdes différents. Chaque enfant possède donc sa propre identité génétique. Ces jumeaux n'ont pas plus de similarités génétiques que leurs frères et sœurs issus d'une grossesse à un seul bébé.

ÇA NE CHANGE PAS LE MONDE, SAUF QUE...

Le déroulement de notre grossesse sera probablement un peu différent de celui de nos amies qui ne portent qu'un seul bébé. Nos rendez-vous seront plus rapprochés, les échographies plus nombreuses.

Nos symptômes risquent également d'être plus marqués, tout autant que nos inquiétudes, nos questions... et nos joies !

Durant une grossesse multiple, il est habituel de ressentir plus de contractions que lors d'une grossesse normale. On écoute notre corps et on prend le temps de se reposer. Les naissances prématurées sont beaucoup plus fréquentes lors de grossesses multiples. La moyenne est de 35 semaines pour des jumeaux et de 31 semaines pour des triplés. Comme nos bébés sont plus susceptibles d'avoir un faible poids à la naissance, on les garde bien au chaud le plus longtemps possible.

Les vrais et les faux jumeaux correspondent donc à deux phénomènes biologiques distincts. Dans le cas des vrais jumeaux, il s'agit d'une anomalie du développement embryonnaire inspiration clonage. Dans le cas des faux jumeaux, il s'agit d'une ovulation et d'une fécondation doubles, dues à l'émission par les ovaires de deux ovules au cours du même cycle.

Et après ? Une étude citée par Naissances Multiples Canada a démontré qu'une mère de triplés de 6 mois nécessite environ 197,5 heures par semaine pour s'occuper de son joyeux trio et de la maison. Ce nombre d'heures n'inclut pas le temps requis par la mère pour dormir, manger, prendre une douche, s'habiller – des petits détails, quoi ! Quand on se souvient qu'une semaine ne compte que 168 heures, on constate bien que les renforts sont carrément essentiels !

TRICOTER BÉBÉ... JUSQUE DANS SES GÈNES !

Comment notre environnement peut-il influencer l'expression des gènes de notre fœtus?

Notre alimentation, nos habitudes de sommeil, les produits chimiques présents dans l'air, notre lieu de résidence, notre niveau de stress... Si ces facteurs ne causent pas une mutation du code génétique, ils peuvent toutefois déterminer quels gènes sont activés chez notre bébé... et lesquels ne le sont pas.

Nouvelle branche en plein essor de la recherche scientifique, l'épigénétique fascine. Les gènes, immuables et hérités de nos parents, sont entourés de marqueurs qui les «allument» ou les «éteignent». La plupart de ces marqueurs se mettent en place pendant la grossesse et les changements peuvent ensuite influencer le développement du fœtus, affecter sa santé en tant qu'adulte, et même se transmettre d'une génération à une autre!

Une dépression, des mauvais traitements durant l'enfance, un événement traumatisant peuvent laisser des marques et se transmettre de la mère à l'enfant, que ce soit pour les survivants des camps de concentration, chez des New-Yorkais après le 11 septembre 2001, ou même au Québec, à la suite de la crise du verglas en 1998. En documentant une famine survenue au cours de la Deuxième Guerre mondiale, des chercheurs ont démontré que cet événement aurait modifié l'état de santé et marqué les gènes de milliers de personnes qui l'ont vécu... en tant que fœtus!

Comprendre tous ces rouages et mécanismes est un travail titanesque, encore plus que de dénicher une erreur dans un bottin téléphonique.

Est-ce que l'épigénétique pourrait étirer la longue liste de mises en garde faites aux femmes enceintes? La grossesse est déjà un parcours de la combattante, si en plus on porte le fardeau du patrimoine génétique de notre héritier et des dix générations à venir, on n'est pas sortie de la pouponnière!

Si ces recherches pouvaient augmenter la pression et la culpabilité des femmes enceintes, elles pourraient aussi et surtout éclairer la voie pour certaines maladies chroniques.

- - - - - - - - - - - - - - - - - - - -

CHAPITRE 5

AU NOM DU PÈRE

DEUXIÈME TRIMESTRE
DE LA 15ᵉ À LA 28ᵉ SEMAINE
Prise de poids : Environ 0,5 kg (1 livre) par semaine

Alors que tous les yeux sont rivés sur le ventre en
expansion de votre moitié, on oublie parfois les doutes
et montagnes russes du futur père. Pas nous.
Bienvenue dans la zone VIP (*very important* papa).

ELLE A DIT... SNIF
ET PUIS LÀ... SNIF
ET MOIiii-AH-AHHH...

OH,
ÇA VA ALLER...
JE SUIS LÀ.

BOUHOU

HOUUU!

J'AI RIEN
COMPRIS.

MOI, FUTUR PAPA ?!

C'est officiel, votre duo deviendra bientôt trio, votre couple deviendra famille. Pendant neuf mois, vous traverserez aussi, à votre façon, de grands chambardements. Des apprentissages et des émotions fortes. Des doutes et des certitudes. Des hauts et des bas. Non, la grossesse n'est pas un long fleuve tranquille pour les futurs papas.

Tandis que les femmes éprouvent leur parentalité dans chaque repli de leur anatomie, les hommes évoluent dans un monde beaucoup plus abstrait.

En parallèle, vous subissez aussi des transformations qui, toutefois, se révèlent souvent différemment de celles de votre compagne, et pas toujours en synchro !

Dans votre tête, les questions défilent. Mon bébé sera-t-il en santé ? Serai-je un bon père ? Vais-je survivre aux couches puantes ? Est-ce que je vais pouvoir continuer de jouer au hockey deux soirs par semaine ? Et si je ne l'entendais pas pleurer, une nuit ? Deviendra-t-il un délinquant juvénile ?

Dans vos bons jours, vous croyez que votre bébé ne changera rien à votre couple, à votre vie sociale ou à votre efficacité au travail. Dans vos mauvais jours, vous croyez que votre quotidien sera complètement anéanti dès la première seconde de sa transition utérus-atmosphère. Houston, on a un problème !

Et vous n'osez trop en parler, par crainte d'être décapité sur la place publique, même si vous êtes parfois décontenancé par les réactions de votre amoureuse. Bien sûr, elle est belle à croquer avec son ventre en expansion. Sauf qu'elle peut tout aussi bien éclater en sanglots devant un toutou en peluche, maudire son reflet dans le miroir ou grogner quand on lui donne un conseil sur l'allaitement, le tout à quelques minutes d'intervalle !

Sans compter sa fatigue extrême, ses nausées, ses brûlements d'estomac, ses maux de dos... Vous êtes déboussolé, impuissant. Vous aimeriez l'aider, mais comment ?

Pas de doute, la grossesse et les premières années suivant la naissance de votre enfant seront particulièrement éprouvantes pour vous, votre compagne et votre couple. Quand même, des papas impliqués, qui gardent un bon équilibre entre les différentes facettes de leur quotidien, ça existe. Bien sûr, c'est un défi considérable, une jonglerie de tous les instants, seulement ce bébé sera fort probablement une des expériences les plus déterminantes de votre vie de couple. En plongeant ensemble dans cette aventure, en partageant les joies et les difficultés de ces moments précieux, cette grossesse pourrait aussi vous rapprocher et créer un lien unique entre vous.

- - - - - - - - - - - - - - - - - - - -

SIX IDÉES POUR VOUS IMPLIQUER DURANT LA GROSSESSE

Fini le temps où les pères assistaient en spectateurs à la grossesse de leur partenaire. Toutes les études le confirment : en vous engageant activement durant ces neuf mois, vous contribuez non seulement au bien-être de votre couple, mais vous atténuez aussi les éventuels symptômes de la dépression post-partum et avez un impact positif sur les premières années de vie de votre bébé. Un petit pas pour l'homme, un grand pas pour la parentalité !

J'AI TRÈS HÂTE DE TE RENCONTRER ET DE NE PLUS FAIRE MES NUITS !

1 - Assistez aux rendez-vous. Être présent aux différents examens et suivis médicaux peut être une excellente façon de vous sentir dans le coup. Les échographies, tout particulièrement, constituent des moments privilégiés pour établir un premier contact avec votre bébé, en le voyant bouger à l'écran et en écoutant les battements de son cœur. Vous pourrez même découvrir son sexe en direct, si vous le désirez ! S'il est impossible de vous absenter du travail pour tous les rendez-vous de suivi, démontrez votre intérêt en prenant des nouvelles par téléphone ou texto.

2 - Soyez aux petits soins. Fabriquer un humain, c'est éreintant. À défaut de pouvoir assurer le relais, soulagez votre compagne en aidant dans la maison. Cuisinez les plats qui lui font envie, veillez au ménage, faites-lui couler un bain moussant... Elle traverse une petite zone de turbulence émotive ? Vous avez le pouvoir de la réconforter. Juste par votre présence et votre écoute – le silence est parfois plus prudent pour votre intégrité !

3 - *Suivez un cours.* Il y a bien sûr les cours prénataux, mais aussi plusieurs formations de préparation à la naissance – massage, ballon de naissance, hypnose, préparation à l'allaitement... Renseignez-vous sur les ateliers offerts dans votre région et discutez-en avec votre partenaire. Vous pourrez déterminer ensemble quel cours semble le plus pertinent pour vous avant l'arrivée du bébé.

4 - *Donnez votre avis.* Couches jetables ou lavables ? Cododo ou chacun son espace ? Ça vous donne le tournis ? À nous aussi ! Du choix du prénom aux couleurs des murs de la chambre, en passant par le siège d'auto, la poussette et la table à langer, vous avez votre mot à dire. Faites de ces décisions une activité de couple agréable.

5 - *Lisez des ouvrages* sur la grossesse et la petite enfance. Bien sûr, devenir parent ne s'apprend pas dans les livres – bien que ceux-ci soient un EXCELLENT point de départ ! Pour vous accompagner dans vos nouveaux rôles respectifs, plusieurs ouvrages promettent de répondre à vos questions, tout en vous offrant une foule de trucs et conseils. Le guide du nouveau papa de Colin Cooper est une lecture gagnante. Et hop, une étoile de plus dans votre cahier de futur papa !

6 - *Créez un lien avec votre bébé.* Oui, même avant sa naissance ! Posez vos mains sur le ventre de votre tendre moitié et laissez-vous surprendre par la droite vigoureuse de votre athlète en herbe. Parlez-lui souvent et faites-lui écouter de la musique douce. À sa naissance, il reconnaîtra le son de votre voix... ainsi que la berceuse qui jouait en boucle !

- - - - - - - - - - - - - - - - - - - -

JE PENSE QU'ON VIENT DE SE FAIRE UN HIGH-FIVE !

LA GROSSESSE SYMPATHIQUE : AU-DELÀ DU VENTRE

Vous avez parfois l'impression d'éprouver les mêmes signes de grossesse que votre amoureuse ? Vous n'êtes pas fou !

Selon une étude américaine, entre 25 % et 52 % des futurs pères éprouveraient des signes psychologiques et physiques associés à la grossesse.

Cette belle solidarité masculine aurait un nom : le syndrome de couvade. Parmi les symptômes les plus fréquents, on note bien sûr la prise de poids – deux bedons valent mieux qu'un ! Mais il y a plus : les nausées, les vomissements, les douleurs lombaires, les brûlures d'estomac, les migraines et même les envies alimentaires font également partie du fardeau paternel. Dans les cas plus extrêmes, on parle de contractions à l'accouchement (!) et de dépression prénatale et postnatale. C'est trop de solidarité les gars !

Généralement, les symptômes apparaissent au premier trimestre, s'adoucissent en même temps que les nôtres au deuxième trimestre, puis reviennent en force à la fin de la grossesse, avant de disparaître complètement peu après la naissance du bébé.

Est-ce une réaction hormonale, une transition subliminale de l'homme vers son nouveau rôle de père, une expression de ses anxiétés refoulées, une volonté inconsciente de s'impliquer plus concrètement dans la grossesse ? Plusieurs hypothèses, aucun verdict clair.

On sait toutefois que la plupart des hommes vivent leur grossesse sympathique en silence. Et si on en finissait avec cette omerta de la couvade ? Exprimez vos doutes et appréhensions, et si vous expérimentez certains malaises, mieux vaut en discuter avec un professionnel de la santé ou avec votre amoureuse.

Bonne nouvelle

La participation des hommes québécois à la vie familiale a énormément progressé ces vingt dernières années. En 2010, les pères consacraient 6,6 heures à leurs enfants, contre 3,1 heures en 1986.

Futur papa,
future déprime ?

On en parle peu, mais il semble que la détresse psychologique des futurs papas soit bien réelle. Selon une étude de l'Université McGill, les pères sont aussi sujets à la dépression pendant la grossesse de leur partenaire. Environ 13 % d'entre eux présentaient des signes sévères de dépression au cours du troisième trimestre. Quels sont les facteurs aggravant le risque de dépression masculine dans la parentalité ? Un sommeil capricieux avant la naissance du bébé, un manque de soutien durant cette transition de vie, une insatisfaction dans la vie de couple, un niveau de stress important...

La solution ? On en parle dès que les symptômes se pointent le bout du nez et on prend du temps pour se reposer. Pourquoi pas une sieste collé avec la future maman ?

- -

13 %

des pères présentent des signes sévères de dépression au cours du troisième trimestre.

- -

SEXE ET GROSSESSE
SELON GRAND-MAMAN FERNANDE

Bientôt parents, toujours amoureux !
C'est connu, le désir sexuel de la femme enceinte fluctue
tout au long de la grossesse. Lors du deuxième trimestre,
réputé pour son bien-être retrouvé et son énergie débordante,
plusieurs femmes se découvrent une libido décuplée.

Et vous, messieurs ?

La réponse de la science : ça dépend... En 2011, une enquête française
rapportait que le désir reste intact pour 53 % des futurs pères
interrogés. Mais qu'en est-il des autres, les 47 % de futurs papas
qui ont la libido dans les chaussettes ? Pas de panique !

Les nouvelles courbes de la future maman n'en seraient pas la raison,
la majorité des hommes demeurant attirés par leur douce moitié.
Cette accalmie sous la couette serait plutôt causée par... leurs
préoccupations ! Peur de blesser maman, peur de perturber bébé ou,
refoulée encore plus loin dans la psyché masculine, remise en question
identitaire et existentielle face à cette vie différente qui commence.
De gros débats intérieurs, en somme.

La bonne nouvelle ?

À moins de contre-indications du médecin, vous pouvez poursuivre, sans crainte, vos ébats sexuels jusqu'à l'accouchement. Aucun risque ni pour la mère ni pour votre héritier, maintenant parfaitement accroché. Peu importe vos ardeurs ou les détails de votre anatomie masculine, votre bébé est en sécurité dans son jacuzzi, entouré du liquide amniotique qui fonctionne comme un coussin gonflable.

Côté bienfaits, les jeux amoureux permettent de maintenir un équilibre dans le couple, sans compter que le plaisir sexuel joue drôlement sur le moral des troupes. Au cours de ce trimestre, les hormones accentuent la lubrification et rendent le vagin encore plus sensible, ce qui peut augmenter le plaisir chez certaines femmes.

Misez toutefois sur l'intimité plutôt que la performance, la qualité plutôt que la quantité. Ce n'est pas une course à l'orgasme ! Gardez également en tête qu'avec un nouveau corps viennent souvent de nouvelles préférences. On explore différentes positions, surtout en fin de grossesse, alors que vos classiques pourraient devenir moins confortables, voire carrément impraticables ! L'occasion parfaite pour revoir vos postures de prédilection... et partager quelques fous rires !

Conclusion, si le désir s'amenuise de part et d'autre, cela ne signifie aucunement que les sentiments ou l'attirance suivent la même tendance. La sexualité peut être temporairement éclipsée par une profonde tendresse, une complicité inégalée. L'important ? Assurer une communication constante et sincère au sein de votre couple, afin de calibrer les désirs de chacun.

VRAI OU FAUX ?

Il est possible de ressentir des contractions lors d'une relation sexuelle. Vrai, mais ces spasmes n'ont aucun effet sur l'ouverture du col et ne nécessitent pas l'interruption du rapport sexuel. Ce sont plutôt des contractions réflexes.

ATTENDS...
ET LÀ ÇA VA ?

PENSES-TU
QUE JE FAIS MAL
AU BÉBÉ ?

ET S'IL
NOUS ENTENDAIT ?!

OUCH!

ESSAIE
PLUTÔT ÇA...

UNE GROSSESSE, PAS DE PAPA !

Ils se marièrent et eurent beaucoup d'enfants ? Pas si vite...
Aujourd'hui, les chemins qui mènent à la grossesse sont multiples.
Notre enfant aura-t-il une maman en solo, un papa en garde
partagée, deux mamans ? La cellule familiale sort enfin de son
carcan traditionnel, et c'est tant mieux !

MAMAN EN SOLO

Du courage. De la volonté. Un désir d'enfant qui transcende tout le reste. C'est ce qu'il a fallu à de nombreuses femmes pour vivre une grossesse en solo. Certaines ont toujours su qu'elles voulaient un enfant, mais leur parcours de vie ne les a pas menées vers la famille traditionnelle. D'autres ont eu le déclic plus tard, mais elles refusaient de sacrifier le projet parce que le grand amour traînait de la patte. Elles ont donc décidé de plonger dans l'aventure.

Nos avantages en tant que maman en solo? Notre enfant ne grandira pas sans amour ou modèle masculin positif. Et comme on sait dès le premier jour qu'on devra compter d'abord sur nous-mêmes, on prendra nos décisions en conséquence. La palme de l'organisation et du laisser-aller, c'est par ici!

Les conseils : On apprend à laisser aller tout ce qui n'est pas prioritaire, on oublie cette image de la maternité parfaite et on demande de l'aide quand ça ne va pas – on ne sera pas un mauvais parent pour autant, bien au contraire.

QUAND LE FUTUR PAPA S'EN VA...

Quand elles ont découvert cette deuxième bande révélatrice sur leur test de grossesse, elles étaient loin de se douter qu'elles seraient seules sur la ligne de front quelques mois plus tard. Pourtant, la grossesse ne nous épargne pas les épreuves de la vie – la maladie d'un proche, des difficultés au boulot ou même une séparation.

Les nausées, la fatigue, les rendez-vous, l'accouchement, les changements de couches, les boires nocturnes, l'épargne-études... Alors qu'on a les hormones au plafond, on s'imagine en train de tout faire toute seule. De quoi donner le vertige!

Plusieurs mamans qui se retrouvent célibataires en cours de grossesse affirment ne pas avoir eu beaucoup de temps pour s'apitoyer. Elles apprivoisent la maternité sous un nouvel angle et prennent les choses en main. De vraies *superwomen*.

Les conseils : On s'entoure de personnes qui nous font du bien, on prend soin de nous, on va chercher de l'aide, professionnelle s'il le faut, afin de partager ce que l'on vit et de transformer nos angoisses en acquis positifs.

- -

7700

Le nombre d'enfants canadiens âgés de 24 ans ou moins vivant avec deux mères en 2011.

- -

DES NOUVELLES DE VOTRE FUTUR COLOC

Au cours du deuxième trimestre, la croissance de votre bébé s'accélère prodigieusement. Ses sens s'éveillent, ses mouvements se précisent et sa présence se fait de plus en plus concrète. Et si vous faisiez plus ample connaissance ?

SEMAINE 15
Bébé Orange

Votre acrobate allonge les jambes, étire les bras, tourne la tête. Ses muscles sont maintenant bien développés, son réseau sanguin se complexifie et son cœur bat à environ 140 battements par minute, soit 2 fois plus vite que le vôtre. Ses poumons s'exercent : par de petits mouvements, il inspire et expire du liquide amniotique pour former ses alvéoles pulmonaires. Comme il a toujours beaucoup d'espace pour bouger et que ses mouvements sont très fins, même sa mère ne les discerne pas encore. Patience !

SEMAINE 16
Bébé Avocat

Votre petit cligne des yeux et ses ongles ont poussé. Ses mouvements sont plus vigoureux, agiles, coordonnés. Ses coups de pied le prédestinent à une brillante carrière dans une ligue de soccer ! Lorsqu'il touche le cordon ombilical, il réagit d'abord en s'éloignant, mais bientôt, le cordon sera pour lui une source infinie de divertissement : il l'agrippe, le tire, le repousse... Un excellent entraînement pour sa motricité fine ! Comme votre glouton avale beaucoup de liquide amniotique (400 ml par jour), il a souvent le hoquet.

SEMAINE 17
Bébé Betterave

C'est le temps de sortir votre voix de ténor : votre bébé vous entend à travers le ventre de maman ! À l'intérieur de son corps, le gras commence à se former, ce qui lui permettra de conserver sa chaleur, à défaut d'avoir le réflexe de frissonner. Cette réserve lui fournira également de l'énergie dans les premiers instants de sa vie. En parallèle, il développe aussi ses propres anticorps. La résistance s'organise !

SEMAINE 18
Bébé Poivron

Au début du 5e mois, la tête de votre bébé devient plus proportionnelle à son corps. La circulation sanguine atteint les extrémités de ses membres – il bouge beaucoup ! Il se déplace dans l'utérus, se retourne, remue les bras et les jambes, touche ses orteils et son visage. Ce n'est plus un athlète, c'est un astronaute en apesanteur ! Maman ressent de légers mouvements, comme des bulles ou des vaguelettes. La myéline, une gaine graisseuse, s'installe autour des nerfs et protège les fibres nerveuses, un peu comme une gaine de plastique enrobant un fil électrique. La rétine des yeux est maintenant sensible à la lumière. Si on projette un halo assez fort sur le ventre, le fœtus s'en détourne et se cache les yeux.

SEMAINE 19
Bébé Tomate

Félicitations! Vous avez maintenant traversé la première moitié de la grossesse. La peau de votre bébé devient tachetée de plaques blanches grasses et cireuses : c'est le vernix. Il sert à protéger son épiderme délicat contre le frottement et l'irritation. Malgré sa croissance soutenue, votre petit nageur a encore assez de place pour ses chorégraphies aquatiques.

SEMAINE 20
Bébé Banane

Impossible de se méprendre : votre compagne discerne clairement les mouvements vigoureux du bébé, maintenant long comme une banane. Bientôt, ce sera votre tour ! Entre ses périodes de gymnastique, le petit dort encore beaucoup : de 18 h à 20 h par jour. Sa peau s'épaissit, même si elle n'est pas encore opaque. Dans son cerveau, les premiers sillons se creusent.

SEMAINE 21
Bébé Carotte

Votre bébé est maintenant complètement formé. Prochain objectif : gagner du poids ! De plus en plus habitué au toucher, il joue avec son cordon ombilical, ses mains et ses pieds – on se divertit comme on peut, là-dedans ! Il porte parfois son pouce à sa bouche. Les poumons poursuivent leur longue maturation – votre héritier gonfle fièrement les muscles du torse pour respirer. Ses globes oculaires sont formés, quoique l'iris n'ait pas encore de couleur. Ses lèvres se font plus charnues, un doux duvet pousse sur sa tête.

SEMAINE 22
Bébé Mangue

La priorité des prochaines semaines : le développement du cerveau ! Votre progéniture a maintenant des paupières, des sourcils et des traits plus précis. Et il est gourmand, ce petit ! Quand le liquide amniotique est plus sucré, il en boit davantage. Même s'il prend du volume, ses réserves de graisse demeurent limitées. Sa peau est fripée comme un pruneau. Dans les gencives, les bourgeons des dents permanentes commencent leur développement, derrière ceux des dents de lait, qui vous feront bien vite passer de nombreuses nuits blanches.

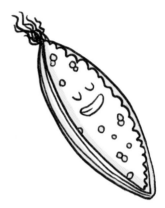

SEMAINE 23
Bébé Courge spaghetti

Le développement musculaire bat son plein. Votre bébé a peut-être même son propre rituel d'étirements! C'est aux alentours de cette semaine que vous pourrez le sentir bouger vous aussi. Votre enfant est assez fort et vigoureux pour que les pressions qu'il exerce sur la paroi abdominale de la maman soient perceptibles. Un beau moment!

SEMAINE 24
Bébé Maïs

Comme un épi, la tête de votre bébé s'orne de vrais cheveux. Son système immunitaire produit des globules blancs qui lutteront contre les maladies et les infections. Sur les doigts, les ongles apparaissent maintenant plus distinctement. Durant cette période, la prise de poids est importante. Ses systèmes respiratoire et digestif ne sont pas encore matures.

SEMAINE 25
Bébé Rutabaga

Votre bébé reconnaît certains stimuli devenus familiers : les gargouillis du ventre de maman, le son de votre voix apaisante, la lumière du jour, la tranquillité de la nuit... Il sursaute quand il entend un bruit fort et il peut parfois répondre aux touchers qu'il reçoit de l'extérieur. Bref, il a conscience de votre présence ! Lorsque vous lui murmurerez des mots doux à l'oreille, après sa naissance, il se sentira automatiquement rassuré. Parlez-lui souvent !

SEMAINE 26
Bébé Noix de coco

Gros comme une noix de coco, il bouge librement dans le ventre de sa maman. Depuis le début du trimestre, sa taille a doublé – il a acquis le tiers du poids qu'il aura à la naissance. Les traits de son visage se précisent : cils, forme du nez, lisière des cheveux, cou dégagé... Il ouvre de plus en plus souvent les yeux. Ses poumons sécrètent une substance qui leur permet de se dilater plus facilement et de se protéger contre les infections. Il s'agit donc d'une étape particulièrement importante, surtout si votre bébé venait à naître prématurément.

SEMAINE 27
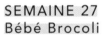
Bébé Brocoli

Votre bébé adopte des mimiques qui vous seront bientôt très familières, dont sa petite moue quand il pleure ! Son rythme éveil-sommeil est plus régulier, mais ne rêvez pas trop : il ne coïncide pas avec le vôtre. Ses mains sont plus actives et habiles. À l'occasion, il se calme en suçant son pouce, il muscle ainsi sa mâchoire et ses joues. Prêt pour les boires !

SEMAINE 28
Bébé Aubergine

Comme il est beau, ce bébé ! Plus lisse, plus potelé... Bon, sa peau est encore violacée, mais ce n'est qu'une question de semaines. La quantité de liquide amniotique diminue : votre progéniture occupe plus d'espace. Il passe ses journées à perfectionner ses réflexes de déglutition et de succion. Il est curieux aussi ! Lorsqu'une lumière ou un son l'intrigue, il tourne la tête en sa direction. S'il devait naître cette semaine, bébé serait considéré comme un grand prématuré et devrait recevoir un soutien médical important pour assurer sa survie.

CHAPITRE 6

NOTRE GARDE RAPPROCHÉE

DEUXIÈME TRIMESTRE
DE LA 15e À LA 28e SEMAINE

Sage-femme ou médecin ? Hôpital ou maison de naissance ?
Salade de chou traditionnelle ou crémeuse ?
À mi-chemin du parcours, on est face aux dilemmes de fond.

CHOISIR NOTRE PRATICIEN

Selon les services disponibles dans notre région, on peut décider d'être suivie par un médecin de famille, un obstétricien ou une sage-femme. Peu importe notre choix, le suivi de grossesse est entièrement couvert par la RAMQ.

MÉDECIN OU GYNÉCOLOGUE-OBSTÉTRICIEN

Si la grossesse ne présente pas de complications, certains médecins généralistes acceptent d'effectuer la déclaration de grossesse et les suivis prénataux jusqu'au 8e mois. En revanche, rares sont les futures mamans qui choisissent cette option pour leur suivi de grossesse, la plupart préférant un gynécologue-obstétricien.

Il peut travailler directement dans un hôpital ou au sein d'une clinique. De façon générale, on est suivie par le même spécialiste, du début à la fin de la grossesse.

FORMATION UNIVERSITAIRE DE CINQ ANS EN MÉDECINE, PUIS CINQ ANS EN STAGE DE FORMATION DANS LES HÔPITAUX

PRENDRE EN CHARGE LES GROSSESSES NORMALES ET COMPLEXES : MULTIPLES, DIABÈTE GESTATIONNEL, HYPERTENSION ARTÉRIELLE, MENACE D'ACCOUCHEMENT PRÉMATURÉ...

PRATIQUER LES ACCOUCHEMENTS PLUS COMPLEXES

VENIR EN RENFORT LORS DES COMPLICATIONS POST-PARTUM, COMME UNE HÉMORRAGIE.

SAGE-FEMME

Les premières représentations de la sage-femme remontent au Néolithique. Elle assistait les futures mères au mieux de son expérience, malgré son absence de connaissances théoriques. Dès le 17ᵉ siècle, la profession s'organise. La sage-femme Marie-Louise Lachapelle écrit un ouvrage sur les pratiques d'accouchement, devenant ainsi une des fondatrices de l'obstétrique moderne. Au Québec, la profession est légalisée depuis 1999.

Environ 75 % des accouchements avec une sage-femme ont lieu en maison de naissance, 20 % à domicile et 5 % à l'hôpital.

Intéressée ? On fait la demande auprès d'une maison de naissance pour vérifier notre admissibilité. Il faut en effet avoir une grossesse normale pour être suivie par une sage-femme.

FORMATION UNIVERSITAIRE DE QUATRE ANS

MEMBRE D'UN ORDRE PROFESSIONNEL

OFFRIR DES SOINS SÉCURITAIRES PENDANT LA GROSSESSE ET L'ACCOUCHEMENT

PRESCRIRE EXAMENS ET MÉDICAMENTS

DÉPISTER RAPIDEMENT LES COMPLICATIONS POTENTIELLES

AGIR ADÉQUATEMENT EN SITUATIONS D'URGENCE

CONSULTER UN MÉDECIN EN CAS DE BESOIN

ÊTRE DISPONIBLE ET RESPONSABLE DE LA PLUS GRANDE PARTIE DU SUIVI

TRAVAILLER EN ÉQUIPE AVEC D'AUTRES SAGES-FEMMES.

COMMENT TRANCHER ?

Il existe autant de réponses que de femmes enceintes ! Pour certaines, il est plus rassurant de se faire suivre par un gynécologue-obstétricien. D'autres préféreront au contraire l'approche de la sage-femme.

Le type d'accouchement souhaité entre également en ligne de compte. Souhaite-t-on un accouchement naturel ? Veut-on l'épidurale ? Cette dernière ne pourra être offerte en maison de naissance, en dépit de nos ruses et enveloppes brunes. Le plus important demeure donc de choisir une personne avec qui l'on se sent en confiance, à qui l'on ose poser toutes nos questions sur la grossesse et l'accouchement.

- -

PAS TOUCHE !

Une *doula,*
c'est pour moi ?

L'accompagnante à la naissance, ou *doula*, nous offre son soutien physique et émotif pendant et après l'accouchement. Elle adresse nos questions, nous aide à prendre des décisions éclairées en conformité avec nos valeurs, nous encourage dans les moments difficiles de l'accouchement, réalise des massages pour soulager les tensions...
Un peu comme une *cheerleader* privée, en somme.

Elle connaît bien la grossesse et les pratiques obstétricales courantes, mais elle n'est pas une professionnelle de la santé, et ses services ne sont pas couverts. L'accompagnante à la naissance ne peut donc pas être responsable du suivi de grossesse, pas plus qu'elle ne peut poser de diagnostics ou de gestes techniques. Son rôle est complémentaire à celui des autres professionnels, que ce soit un gynécologue ou une sage-femme.

T'ES BELLE,
T'ES FORTE,
T'ES CAPABLE.

COMMENT ON SE SENT
AUJOURD'HUI ?

DANS UNE SALLE D'ATTENTE PRÈS DE CHEZ VOUS...

Dès le deuxième trimestre, les suivis médicaux remplissent notre agenda, alors que notre gourou de l'utérus ausculte nos entrailles sur une base régulière. À nous les étriers froids, les prises de sang, les analyses d'urine et autres plaisirs variés! On devient une athlète olympique, entourée par une cohorte de spécialistes qui nous entraîne en vue de la grande épreuve. L'objectif? Veiller à ce que la grossesse évolue bien, préparer l'accouchement et dépister en amont certains problèmes qui pourraient survenir.

LE PREMIER SUIVI

Que ce soit avec un médecin ou une sage-femme, le premier rendez-vous de surveillance se déroule avant la 14ᵉ semaine de grossesse.

Les principaux points à inspecter

· Confirmation et avancement de la grossesse

· Date prévue d'accouchement

· Histoire de santé et bagage héréditaire de la mère et du père

· Prise de médicaments et allergies

· Habitudes de vie et emploi (pour établir les risques et le besoin d'un retrait préventif)

La rencontre inclut également un bilan physique complet et un examen gynécologique.

LES SUIVIS DE SURVEILLANCE PRÉNATALE

Après notre examen du premier trimestre, le rythme de la surveillance s'accélère, mais les rencontres sont moins longues. À moins d'un souci de santé exigeant des suivis particuliers, voilà ce qui nous attend:

DE 14 À 30 SEMAINES:
UNE VISITE AUX 4 À 6 SEMAINES

DE 31 À 36 SEMAINES:
UNE VISITE AUX 2 OU 3 SEMAINES

DE 37 SEMAINES JUSQU'À L'ACCOUCHEMENT:
UNE VISITE PAR SEMAINE

Les principaux points à inspecter

· Gain de poids

· Pression artérielle

· Battements du cœur de bébé

· Hauteur de l'utérus (à partir de la 20ᵉ semaine de grossesse)

On remarque un léger saignement dans les 24 heures suivant un examen gynécologique? Pas de panique! Le col de l'utérus est plus fragile pendant la grossesse.

L'ÉCHOGRAPHIE

Une échographie est habituellement suggérée entre la 18e et la 20e semaine de grossesse.

Les principaux points à inspecter

· Âge et taille du fœtus

· Développement des membres et des organes du fœtus

· Position du placenta

Moment magique, cet examen met aussi à rude épreuve la vessie déjà malmenée de la femme enceinte. On nous demande en effet de boire plusieurs verres d'eau au préalable, afin que l'utérus soit poussé vers l'avant et que l'image du bébé soit plus claire. Interdiction formelle de faire pipi avant l'examen! Grognements possibles si le rendez-vous est retardé... ou si le technicien presse un peu fort sur notre ventre!

Cette échographie est aussi le moment où l'on peut apprendre quel est le sexe de notre enfant. On veut garder la surprise? On le mentionne d'emblée au personnel, pour éviter les fuites. #SpoilerAlert

LES PRISES DE SANG ET ANALYSES D'URINE

Tout au long de la grossesse, notre professionnel de la santé nous prescrira différentes analyses d'urine et prises de sang.

Les principaux points à inspecter

· Groupe sanguin (A, B, AB ou O) et facteur rhésus (positif ou négatif)

· Maladies infectieuses – syphilis, VIH, hépatite B...

· Immunité contre la 5e maladie et la rubéole

· Anémie

· Infection urinaire

Compatible ou pas ?

Si on est Rh -, alors que notre bébé est Rh +, notre système immunitaire pourrait réagir et produire des anticorps qui s'attaqueraient aux globules rouges du fœtus. En prévention, les femmes enceintes Rh - reçoivent une injection d'anticorps à la 28e semaine de grossesse. Sans risque, cette injection empêchera notre système immunitaire de réagir contre le sang du bébé.

OK MON AMOUR,
ON FAIT UNE PAUSE
DE BOXE, SINON MAMAN
VA PISSER PAR TERRE !

TEST DE DÉPISTAGE PRÉNATAL DE LA TRISOMIE 21

Lors de notre premier suivi, notre professionnel de la santé nous demandera si on souhaite passer un test de dépistage de la trisomie 21. La décision nous revient entièrement.

Le test se fait par analyse sanguine, avec ou sans échographie. Il ne donne pas un verdict, juste une probabilité. Si le risque est élevé, on nous conseillera de passer un test diagnostique, bien que cela ne signifie pas nécessairement que notre bébé soit atteint d'une anomalie chromosomique.

L'AMNIOCENTÈSE

Effectuée à partir de la 15e semaine de grossesse, elle permet de savoir avec certitude si le fœtus est atteint d'une anomalie chromosomique. Le médecin insère une fine aiguille dans notre ventre afin de prélever du liquide amniotique. Comme l'amniocentèse peut mener à des complications, elle est proposée seulement en cas de nécessité.

La trisomie 21, c'est quoi exactement ?

Également appelée syndrome de Down, la trisomie 21 est une des anomalies chromosomiques les plus fréquentes. Elle a pour effet de limiter le développement intellectuel de ceux qui en sont atteints, bien que cet effet varie d'une personne à l'autre et que le soutien puisse améliorer les choses. Il n'existe aucun traitement, mais les gens atteints ont aussi des ressources qui leur permettent d'entretenir de profondes relations affectives et de mener une vie gratifiante. Elles auront par ailleurs besoin d'un soutien, d'intensité variable, tout au long de leur vie.

LE TEST DE DÉPISTAGE DU DIABÈTE GESTATIONNEL

Touchant de 2 % à 4 % des grossesses, le diabète gestationnel se manifeste à la fin du deuxième trimestre ou au début du troisième. Comme il peut affecter tant la mère que l'enfant, son dépistage est incontournable.

Entre la 24e et la 28e semaine de grossesse, on sera invitée à ingurgiter un *shooter* de liquide orange plus sucré que du Kool-Aid. Une heure plus tard, une prise de sang de contrôle permettra de vérifier comment le pancréas réagit à ce doux élixir. Si les résultats sortent des valeurs normales, le médecin proposera un test sanguin plus élaboré, en plus de nous recommander une alimentation adaptée.

On se rassure : le diabète de grossesse disparaît après l'accouchement dans 90 % des cas.

LE TEST DE DÉPISTAGE DU STREPTOCOQUE B

Entre 15 % à 40 % des femmes enceintes sont porteuses du streptocoque B, une bactérie sans danger pour la mère, mais pouvant causer des infections graves chez le nouveau-né. Vers la 36e semaine, on effectuera un test de dépistage. Si le résultat est positif, on nous donnera des antibiotiques au moment de l'accouchement.

- -

AVEC MA MÉMOIRE DE FEMME ENCEINTE, C'EST SUPEEER FACILE DE MÉMORISER MES RENDEZ-VOUS !

POUR OU CONTRE LES COURS PRÉNATAUX ?

Dans le coin droit, les apprenants studieux qui souhaitent parfaire leurs connaissances avec un spécialiste dédié. Dans le coin gauche, les autodidactes convaincus qui ont l'impression de se faire imposer un mode d'emploi de la parentalité. Sur l'arène des cours prénataux, la lutte est féroce et les avis tranchés.

D'autres entreprises ou organismes qualifiés offrent des cours prénataux plus spécifiques – accouchement naturel, allaitement, hypnose, diversification alimentaire menée par l'enfant (DME)... On peut choisir une approche de groupe ou individuelle, cette dernière étant souvent plus adaptée à nos besoins particuliers.

Peu importe la formule, l'objectif des cours prénataux est toujours de nous informer afin de bien vivre les étapes de la grossesse, de nous préparer à l'accouchement, de connaître les différentes façons de gérer la douleur et d'apprendre à donner les soins au nouveau-né.

Les cours de groupe nous permettent d'échanger avec d'autres couples qui vivent la même situation que nous. Au CLSC, une infirmière agit comme animatrice des rencontres. Les sujets généraux sont tous abordés et bien documentés. On s'inscrit à partir de la 12e semaine de grossesse. Offertes en soirée, ces rencontres débutent entre la 20e et la 25e semaine de grossesse et s'échelonneront sur quelques semaines. Des frais peuvent s'appliquer.

SALUT LES COPINES !

«Parler de montée laiteuse et de constipation avec un groupe d'inconnus, très peu pour moi ! Mon médecin m'avait très bien renseignée sur les différentes options durant l'accouchement. De nos jours, l'information est facilement accessible, cela faisait partie de mon processus de me renseigner par moi-même. Je suis une fière autodidacte de la grossesse et de l'accouchement et mon bébé ne semble en garder aucune séquelle. Pas de regret ! »

«Les premiers mois, j'ai essayé de trouver mes réponses sur le web et dans les forums. Grave erreur ! On m'annonçait une fin apocalyptique au moindre nerf coincé. Il me fallait des réponses fiables et adaptées à ma grossesse. J'ai donc suivi un cours sur l'accouchement naturel. C'était très rassurant ! Puis j'ai suivi un cours de massage et points de pression avec mon amoureux. Il y a plus pénible comme formation !»

ON A LA PÊCHE !
(À UN OU DEUX DÉTAILS PRÈS)

Au deuxième trimestre, notre grossesse devient apparente. On nous couvre de petites attentions, on nous cède la place dans les transports en commun. La reine, c'est nous ! Les nausées et la fatigue s'estompent, on a le moral au beau fixe, on mord dans la vie comme un bambin dans un jouet de dentition.

Malgré notre forme étincelante, il se peut que de nouveaux maux fassent leur apparition :

ON A MAL À LA TÊTE. Augmentation du volume sanguin, stress, fatigue... Les maux de tête résultent des nombreux changements physiologiques et émotionnels associés à la grossesse. Pour aider, on mange moins mais plus souvent, on s'hydrate tout au long de la journée, on se repose. On oublie toutefois l'aspirine, car elle perturbe la coagulation sanguine et semble, entre autres risques, présenter une toxicité pour les reins, le cœur et les poumons de notre colocataire.

ON A PLUS DE PERTES VAGINALES. Phénomène courant au deuxième trimestre, il représenterait une mesure protectrice de notre organisme contre les infections. Les pertes blanches et abondantes ne sont donc pas inquiétantes, sauf qu'en cas de doute ou de changement, on en parle à notre *coach* de grossesse.

ON EST CONGESTIONNÉE. On ronfle ? Notre nez saigne sans crier gare ? Pas chic, bien que plutôt normal. C'est la faute de l'augmentation de la circulation sanguine : nos muqueuses nasales sont enflées, et donc susceptibles d'entraîner une congestion et des saignements de nez occasionnels.

ON MANQUE DE SOUFFLE. Plus fréquents à partir du deuxième trimestre, les problèmes d'essoufflement nous accompagneront jusqu'au tout dernier mois. Sous l'effet des hormones, le système respiratoire est stimulé, les inspirations et expirations sont plus nombreuses et profondes. Plus les mois passent, plus l'utérus appuie sur le diaphragme et comprime les poumons, entravant ainsi la respiration.

ON EST DÉSORIENTÉE. On ne se souvient plus de ce qu'on allait chercher à l'épicerie, on oublie le nom de cette ancienne collègue, on emprunte la mauvaise route... Mais qu'est-ce qui nous arrive ?! La science ne sait pas exactement expliquer cette amnésie de grossesse. Une seule certitude : on a l'esprit ailleurs. En attendant de retrouver un cerveau fonctionnel, on prend des notes, on ajoute des alertes dans notre téléphone, on délègue certaines tâches. C'est le début du fameux lâcher-prise, un incontournable dans l'aventure qui commence.

ON A DES VERGETURES. Le deuxième trimestre est celui de la croissance rapide de bébé – on pourrait gagner entre 12 et 14 livres durant cette phase. Alors que notre abdomen se distend, des vergetures peuvent apparaître. On hydrate la peau au quotidien et on se rappelle que ces marques s'atténuent généralement après l'accouchement.

ON A DES CONTRACTIONS DE BRAXTON-HICKS. Ces faibles contractions aléatoires sont une indication que notre corps se prépare pour le travail. Elles se produisent surtout dans la région de l'aine ou même dans la partie inférieure de l'abdomen. Aucun stress donc, à moins qu'elles ne deviennent intenses et régulières, auquel cas on consulte un professionnel de la santé.

LE CAUCHEMAR VESTIMENTAIRE DE LA FEMME ENCEINTE

Nos vêtements nous boudinent le corps comme un saucisson ? Cinq conseils pour revamper notre garde-robe sans réhypothéquer notre maison... ou plomber notre estime personnelle !

ON GARDE NOTRE STYLE. Inutile de virer romantico-bohème sous prétexte qu'on porte la vie sous notre robe fleurie format parachute. Une grande tunique et des bottillons, c'est permis aussi.

ON ACHÈTE UNIQUEMENT DES VÊTEMENTS DANS LESQUELS ON SE TROUVE BELLE. Pas une mince tâche, on vous l'accorde. Surtout que les designers de la maternité démontrent une obsession inquiétante pour les rayures horizontales et les motifs aberrants – marguerites, étoiles, petits cœurs... On se sent comme un béluga à son premier jour de maternelle !

ON CHOISIT AVEC SOIN NOTRE LINGERIE. Des soutiens-gorges au maintien adéquat et des culottes dont la bande élastique passe sous notre ventre rebondi, ou en taille très haute, pour les adeptes.

ON MISE SUR LE COTON. Alors que notre corps surchauffe (merci les hormones et le surpoids), le coton permet à nos vêtements de mieux respirer. Et à nous aussi.

ON NE SE LIMITE PAS AU RAYON MATERNITÉ. À 200 $ le morceau dans les boutiques spécialisées, il faudrait enchaîner au moins trois grossesses avant de rentabiliser nos acquisitions surdimensionnées. On peut bien acheter quelques vêtements réguliers, mais en taille plus grande : chandail fait long, chemise ample, robe-tunique, legging extensible... Toujours moins chers et souvent plus beaux !

- -

AU SECOURS.

CHAPITRE 7

LES DERNIERS MILES

TROISIÈME TRIMESTRE
DE LA 29e À LA 40e SEMAINE
Prise de poids : Environ 0,5 kg (1 livre) par semaine.
Mais bof, on préfère ne plus savoir...

On analyse les plus beaux prénoms, on repeint la chambre,
on range les pyjamas impériaux dans les tiroirs...
La royauté arrive bientôt en ville !

EN DIRECT DE L'UTÉRUS

ÇA SENT BOOON !

SEMAINE 29
Bébé Courge Butternut

Dès le début du troisième trimestre, l'appareil digestif de notre petit gourmand est fonctionnel. Grâce au liquide amniotique, il enregistre tout un éventail de saveurs, ainsi que d'odeurs. Ses premières expériences olfactives pourraient même influencer ses préférences après la naissance !

SEMAINE 30
Bébé Chou-fleur

Ses yeux sont ouverts, quoique sa vision reste limitée. Notre ventre fait des vagues en rythme avec ses mouvements. On voit passer un coude, on devine clairement un petit talon... On a l'impression de caresser directement notre bébé !

SEMAINE 31
Bébé Chou rouge

Grand accomplissement : son système nerveux et ses réserves de graisse corporelle lui permettent maintenant de contrôler la température de son corps. Les mouvements respiratoires sont plus réguliers. De jour en jour, il s'arrondit comme un chou !

SEMAINE 32
Bébé Cantaloup

La moitié de son poids à la naissance aura été gagnée durant ces sept prochaines semaines. Ça pousse à la vitesse grand V ! Les coups saccadés et les ruades ont fait place aux étirements de yogi... qu'on ressent jusque dans nos côtes !

SEMAINE 33
Bébé Melon miel

Autour de la 33e semaine, il se place la tête en bas en vue de l'accouchement. Certains attendent au dernier moment pour effectuer la culbute fatidique, d'autres ne la feront jamais. Pourquoi ? Un cordon trop court, un placenta dans le chemin, une malformation du fœtus qui rend difficile la rotation ou tout simplement le hasard !

SEMAINE 34
Bébé Ananas

Durant la dernière ligne droite, le fœtus avale beaucoup de liquide… et déverse donc une bonne quantité d'urine dans sa poche amniotique – environ 2 cuillères à soupe par heure. Le placenta fonctionne à plein régime pour éliminer les déchets, et nos reins aussi ! Allez, on se sert un autre grand verre d'eau !

HIC HIC!

SEMAINE 35
Bébé Laitue romaine

Deux importantes structures ont atteint leur maturité : le cerveau et le système immunitaire, bien que les deux continueront de se peaufiner bien après la naissance. Prochain objectif : développer ses réserves de gras en vue de la naissance. Par ici les rondeurs !

SEMAINE 36
Bébé Chou chinois

Hic ! Hic ! On devine régulièrement ses hoquets, signe que notre bébé entraîne ses poumons en respirant (et en avalant) du liquide amniotique.

SEMAINE 37
Bébé Papaye

Notre enfant est maintenant considéré comme étant parvenu à terme : il a assez de force pour affronter la vie aérienne ! Coquet, il se fait une beauté en vue de notre première rencontre. Ses cheveux et ses ongles poussent, sa peau est lisse, des petits plis apparaissent autour de ses poignets, de son cou, de ses coudes et de ses genoux.

SEMAINE 38
Bébé Poireau

Plus besoin de cette couche de vernix qui protégeait sa peau ! Elle flotte maintenant dans le liquide amniotique, qui prend une couleur laiteuse. Le cœur de bébé est complet, son rythme cardiaque ralentit. S'il a la peau claire, l'iris de ses yeux est bleu. Si sa peau est foncée, ses yeux sont marron. Il faudra cependant attendre plusieurs mois après la naissance pour savoir quelle sera leur couleur définitive.

SEMAINE 39
Bébé Pastèque

Notre athlète est maintenant à l'étroit dans son terrain de jeu. Ses membres sont repliés et près du corps, son menton repose sur ses genoux. Il en profite pour dormir beaucoup, il lui faut être en pleine forme pour sa sortie spectaculaire!

SEMAINE 40
Bébé Petite Citrouille

Il est prêt! Tous les organes sont constitués, sauf les poumons qui compléteront leur développement après la naissance. Le lanugo tombe entièrement cette semaine, laissant sa peau lisse et sans poil. Notre bébé pèse en moyenne 3,5 kg et peut mesurer 51 cm... mais les écarts peuvent être surprenants!

T'AS UN BEAU PÉRINÉE, TU SAIS...

Oubliez les fesses, les cuisses ou les abdominaux.
Quand on est enceinte, c'est le périnée qu'il faut entraîner
en priorité. Ces muscles deviennent pour
la femme enceinte un véritable Graal.

D'abord, c'est quoi ?
Les muscles du plancher pelvien, ou périnée, soutiennent les organes de
la région pelvienne et entourent la vessie, le vagin et le rectum.

Entraîner son périnée, ça donne quoi ?
• Préparer les muscles du plancher pelvien à l'accouchement.

• Prévenir l'incontinence urinaire, ces petites pertes d'urine qui peuvent
survenir lorsqu'on tousse, qu'on rit ou qu'on soulève des choses lourdes.

• Tonifier les muscles du vagin, ce qui facilitera la reprise des relations
sexuelles après la naissance du bébé.

Notre entraînement sur mesure :
les exercices de Kegel
On commence pendant la grossesse et on poursuit de trois à
six mois après la naissance.

Comment ?

• On contracte le périnée. Pour bien le situer, ce sont les muscles qui sont utilisés quand on tente de ralentir ou d'arrêter le jet d'urine sans l'aide des fesses et des cuisses. Les premières fois, on peut donc s'exercer sur la toilette, pour être certaine de contracter les bons muscles.

• On serre pendant 5 secondes, puis on relâche pendant 10 secondes. On répète cet exercice 10 fois, 3 fois par jour.

• On peut également essayer de faire la même chose en serrant avec moins d'intensité mais plus longtemps. De cette façon, on travaille d'autres fibres musculaires.

• Le plus important, c'est d'utiliser cette contraction volontaire du plancher pelvien lors de nos efforts au quotidien. On contracte, par exemple avant de tousser ou de soulever un poids, puis on maintient la contraction une ou deux secondes après l'effort. Éventuellement, on aura le réflexe de serrer automatiquement le plancher pelvien avant les efforts, pour prévenir les fuites urinaires.

L'avantage de ces exercices ?

Ils se pratiquent dans la joie et la discrétion ! On peut donc les exécuter n'importe où, n'importe quand, que ce soit en voiture, dans une file d'attente, durant une réunion ennuyante ou devant la télévision. À vos périnées, toutes !

LE SOULAGEMENT DE LA BALEINE

Le dernier trimestre promet de repousser les limites de notre résistance physique et mentale.

PARFOIS C'EST ÉPEURANT, MAIS IL FAUT Y ALLER UNE ÉTAPE À LA FOIS.

On est empotée. Notre ventre proéminent gêne nos mouvements. Monter les escaliers, conduire la voiture, enfiler nos chaussettes... Les tâches les plus simples équivalent pour nous à l'ascension du Kilimandjaro.

ANTIDOTE : On prend notre temps, on demande de l'aide... et on en rit en se rappelant que c'est passager.

On est courbaturée. On a parfois mal au dos, aux jambes, à des muscles, ligaments et articulations qu'on n'avait encore jamais répertoriés. Le nerf sciatique devient notre pire ennemi, alors qu'on ressent une douleur qui irradie du bas du dos vers une fesse ou le long de toute la jambe.

ANTIDOTE : On évite les mouvements brusques, on s'accroupit en se tenant au dossier d'une chaise et on prend un bain chaud.

On est boursouflée. Nos mains et nos pieds sont enflés.

ANTIDOTE : On multiplie les douches froides, on évite de rester debout ou assise trop longtemps, on porte des vêtements amples et on élève nos jambes comme une mamie au moins deux fois par jour.

BON,
BEN ON VA Y ALLEZ
À L'AVEUGLETTE !

On étouffe dans notre propre corps. Notre utérus-bulldozer prend possession du territoire et écrase les organes limitrophes : estomac (on est à un Tums du meurtre), vessie (on s'échappe au moindre éternuement), diaphragme (un aller simple au frigo nous essouffle). On a moins d'appétit, nos seins sont encombrants, il arrive même que du colostrum, un liquide jaunâtre et visqueux, s'en écoule. Normal peut-être, mais pas du plus grand chic !

ANTIDOTE : On limite la consommation de caféine, on évite les aliments gras ou riches, on opte pour des portions réduites, mais plus fréquentes, et on investit dans un bon soutien-gorge (avec compresses, ça nous préparera pour l'allaitement !).

On a le sommeil agité. On fait de l'insomnie – revoir le cocktail de malaises ci-dessus pour comprendre, et inclure le syndrome des jambes sans repos. Quand on finit par s'endormir, notre inconscient tourmenté nous balance une série d'images étranges, voire cauchemardesques.

ANTIDOTE : On pratique une activité physique douce au quotidien, on se couche à heures régulières, on ajoute quelques coussins pour dormir en position semi-assise.

On est hypersensible. On se sent tiraillée entre nos (nombreuses) appréhensions et notre (grande) fébrilité de rencontrer enfin notre descendant adoré.

ANTIDOTE : On est indulgente envers nous-même et on se fait confiance. Gonflée d'une force qu'on ne soupçonnait pas, on est déterminée, résolue, invincible, comme une marathonienne prête à franchir les derniers milles... à la condition qu'une âme charitable veuille bien attacher nos lacets !

– –

Au secours, il ne bouge plus !

Presque toutes les femmes enceintes connaissent ce petit moment de panique, quand elles réalisent que leur ventre est très calme depuis quelques heures. Notre bébé se repose-t-il après avoir dansé la samba toute la nuit? Est-ce qu'on était tout simplement trop occupée pour avoir remarqué ses derniers mouvements?

Quelques astuces pour en avoir le cœur net :

· ON BOIT UN LIQUIDE FROID.

· ON S'ÉTEND SUR LE DOS ET ON RESTE IMMOBILE.

· ON MET DE LA MUSIQUE.

· ON CHANGE DE POSITION.

· ON CLAQUE UNE PORTE.

Si rien de tout cela ne le fait réagir, il est plus prudent de contacter notre professionnel de la santé.

HEIN QUOI?

«CONGÉ» DE MATERNITÉ

Depuis 2006, le Régime québécois d'assurance parentale (RQAP) offre des congés fort avantageux aux couples qui accueillent un nouvel enfant dans la famille. Nounou et sommeil non inclus.

LES FORMULES DISPONIBLES

Deux options nous sont offertes : recevoir des prestations moins élevées pendant une période plus longue (régime de base) ou bénéficier de prestations plus élevées, mais pendant une période plus courte (régime particulier).

Peu importe notre choix, on bénéficie de semaines de maternité (juste pour nous), de semaines de paternité (juste pour notre compagnon), ainsi que de semaines de parentalité, partageables entre nous selon nos besoins.

Et on évite les mauvaises surprises en se souvenant que ces prestations sont imposables.

ATTENTION ! Le choix du régime est déterminé par le premier des deux parents qui remplit sa demande. Si on opte pour un régime particulier, le père sera lui aussi soumis au régime particulier. Toute décision lie automatiquement l'autre parent, même dans le cas d'une garde partagée. Et impossible de changer de régime en cours de route : c'est une décision irrévocable. Pour nous aider à trancher, on utilise le simulateur de calcul de prestations en ligne.

AILLEURS DANS LE MONDE

Les champions

Selon les données de 2016, la Suède est la reine du congé parental, avec 56 semaines pour la nouvelle maman, rémunérées à 80 %. La Pologne arrive bonne deuxième, avec 52 semaines de congé parental, à 80 % du salaire. Mention d'honneur à la Croatie, au Danemark et à la Serbie, qui offrent chacun près d'un an de congé à une rémunération très favorable se rapprochant de 100 %.

Les derniers

Seulement quatre pays ne prévoient aucun congé de maternité, soit le Libéria, le Swaziland, la Papouasie-Nouvelle-Guinée et... les États-Unis ! Chez nos voisins du Sud, les États ont carte blanche en matière de législation, avec une moyenne de 12 semaines et des prestations variables octroyées par l'employeur, mais le fédéral ne prévoit aucun congé pour ses citoyennes.

Et les papas ?

Les pères canadiens seraient les plus choyés de tous. La Suède permet aussi aux parents de se partager le congé, sauf que là-bas, les pères ont eu droit à un maximum de 34 semaines en 2016. De plus, le Canada, la Suède, la France et le Royaume-Uni offrent un congé aux parents de même sexe.

LE TROUSSEAU DE BÉBÉ

Avant de dépenser une fortune en babioles qui finiront dans les tiroirs, voici la liste des (vrais) essentiels pour accueillir notre enfant. De rien !

BOIRES : Un coussin d'allaitement, six bavettes en tissu pour protéger les vêtements et essuyer les régurgitations. Même si on envisage d'allaiter, quelques biberons peuvent aussi dépanner.

PRODUITS DE TOILETTE : Une baignoire en plastique, une ou deux serviettes douces, une bouteille de savon liquide 2-en-1 au pH neutre, de la crème hydratante, de la crème pour les fesses, une brosse à cheveux pour bébé, des paquets de couches nouveau-né (ou un ensemble de couches lavables, selon notre préférence), une table à langer (si on a l'espace), plusieurs (plusieurs !) petites débarbouillettes, des lingettes humides, un coupe-ongles pour bébé. On s'assure que notre détergent à lessive soit pour peau sensible. Certains parents aiment bien la poubelle à couches qui emprisonne les odeurs.

JOUETS : Un tapis d'éveil, des hochets et un mobile à accrocher au-dessus de la couchette. Les peluches et doudous sont aussi jolis pour décorer, à la condition de ne pas les laisser dans le lit.

VÊTEMENTS : De six à huit pyjamas en fibres naturelles, comme le bambou ou le coton, deux ou trois gigoteuses, de six à huit cache-couches à boutons-pression, plusieurs paires de petits bas, deux bonnets en coton. Selon la saison, un habit de neige ou une housse de coquille rembourrée. Conseil d'amie : on n'achète pas trop de vêtements en taille nouveau-né – il est possible que notre enfant soit déjà trop grand pour les porter à la naissance.

DÉPLACEMENT : Une coquille pour la voiture, une poussette, un porte-bébé, un sac à couches et une écharpe de portage. Un transat (siège berceur) peut aussi nous permettre de déposer bébé en position semi-couchée.

CHAMBRE ET COUCHETTE : Une couchette et un matelas ferme et parfaitement adapté – il ne faudrait surtout pas que bébé glisse entre le matelas et les barreaux ! Les modèles de couchette qui évoluent avec l'enfant sont plus chers sur le coup, mais leur acquisition nous évitera une nouvelle dépense dans deux ans, quand notre enfant n'aura plus besoin de barreaux. Plusieurs couvertures douces pour l'emmailloter. Cinq draps-housses et une dizaine de piqués pour poser sous sa tête. Les piqués nous seront utiles également lors des sorties pour les changements de couche. Des moniteurs pour bébé, selon l'espace.

Les mauvais plans

Les coussins, le tour de lit et la literie décorative. Dangereux, ils peuvent être responsables de la mort subite de nourrisson.

Les baskets et les ensembles de pantalon ou robes pour nouveau-nés. Oui, ils sont absolument craquants. Mais les dégâts et les changements de couche seront nombreux et on sera bien vite charmés par le côté pratique du pyjama. On se limite à un ou deux ensembles, pour les occasions spéciales.

- -

LE CASSE-TÊTE DU PRÉNOM

Choisir le nom de notre trésor est une mission aussi excitante que délicate. Hors de question de commettre un faux pas en affublant notre héritier d'un prénom incongru qui lui nuira toute sa vie!

PISTES DE RÉFLEXION

Héritage et tradition : Certaines familles s'attribuent des critères uniques, comme de partager les mêmes initiales ou de nommer le premier fils Charles, Léonard ou Antoine, comme son grand-père et son arrière-grand-père.

Rare ou familier : Des parents carburent à l'originalité – on ne veut pas que notre enfant soit une Emma ou un William parmi tant d'autres! D'autres ont un sérieux penchant pour les grands classiques – Gabriel, Ariane, Nicolas, Léa... Simple matière de goût! Si le prénom rare nous démange (par ici les Perséphone et Boris!), ou qu'on envisage un prénom de notre invention (bonjour, Alexim et Delphie!), on se rappelle que la rareté est parfois difficile à porter – il faut épeler son nom des milliers de fois, faire face à des froncements de sourcils... voire essuyer quelques moqueries dans la cour d'école. À mijoter!

Sonorité et rythmique : On peut aussi choisir un nom pour sa musicalité, avec un nombre précis de syllabes qui sonne bien à notre oreille. Selon la langue et les accents régionaux, des sons particuliers peuvent être moins appréciés par les parents – Dâvid ou Sophiâ, c'est moins joli. Bien sûr, on teste avec le nom de famille, certains mariages étant moins heureux que d'autres.

Traits de personnalité et caractéristiques physiques : Quand on constate que notre enfant a une caractéristique particulière, celle-ci peut servir d'inspiration. Par contre, seul le temps nous dira si notre Angélique sera malcommode ou si notre Victor sera mauvais perdant.

Le Directeur de l'état civil accorde trente jours après la naissance pour choisir le prénom, après quoi des frais seront exigés.

Pour connaître la popularité des prénoms convoités, on consulte la banque des prénoms du Québec, mise à jour tous les ans : www.rrq.gouv.qc.ca.

- - - - - - - - - - - - - - - - - - - -

Rares sont les prénoms qui font l'unanimité dans l'entourage. Au bout du compte, deux avis comptent vraiment : le nôtre et celui de notre douce moitié!

TOP 5 CHEZ LES FILLES

EMMA

LÉA

ALICE

OLIVIA

FLORENCE

TOP 5 CHEZ LES GARS

WILLIAM

LOGAN

LIAM

NOAH

JACOB

CHAPiTRE 8

URGHHH...

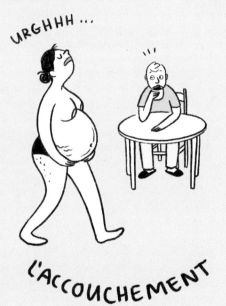

L'ACCOUCHEMENT

TROISIÈME TRIMESTRE
DE LA 29e À LA 40e SEMAINE

Quand bébé pointera-t-il le bout de son petit nez ?
Quelles sensations annoncent vraiment le début du travail ?
Quels sont les meilleurs moyens de gérer la douleur ?
On se prépare pour traverser le fil d'arrivée !

LE PLAN DE NAISSANCE
CE QUE FEMME VEUT...

Ne nous emballons pas trop vite : malgré toutes nos certitudes et séances de visualisation méditative, il n'est pas toujours possible de prévoir notre accouchement. Ni sa date, ni son déroulement exact, ni parfois même son lieu – parlons-en aux quelques femmes par année qui donnent naissance inopinément dans le taxi !

Grâce au plan de naissance, on peut toutefois noter nos souhaits afin de les transmettre efficacement à tous ceux qui nous assisteront le jour J.

ÉCRIRE NOTRE PLAN DE MATCH

Le plan de naissance n'est pas une suite d'exigences fermes, mais plutôt une entente de collaboration qui repose sur des demandes réalistes et pertinentes. Il doit être souple, flexible et éviter les caprices de diva en tournée mondiale.

Tout au long de la grossesse, on se renseigne sur les différents protocoles et interventions en usage lors d'un accouchement. Vers la 30e semaine, on couche nos attentes sur papier, en se disant que rien n'est coulé dans le béton et qu'on peut toujours changer d'idée... même dans le feu de l'action !

On peut faire participer notre conjoint à l'écriture du plan, il pourra ainsi agir à titre de porte-parole officiel au moment opportun. On peut aussi présenter notre plan à notre médecin ou à notre sage-femme.

On en fait deux copies que l'on glisse dans notre valise. À notre arrivée, on en remet une aux infirmières, qui pourront l'inclure dans notre dossier médical, et on conserve la seconde.

Quels sont les thèmes abordés ?

LA PETITE HISTOIRE DE NOTRE GROSSESSE

LES PERSONNES QUI NOUS ACCOMPAGNENT

LES TECHNIQUES DE GESTION DE LA DOULEUR ET LES POSITIONS À PRIVILÉGIER

L'ÉPIDURALE ET SES ALTERNATIVES

LES INTERVENTIONS MÉDICALES OU DE ROUTINE

LE MONITORAGE

L'ÉPISIOTOMIE

L'UTILISATION D'UN MIROIR POUR VOIR L'ARRIVÉE DU BÉBÉ

LE CORDON OMBILICAL

LES PHOTOS ET VIDÉOS

On peut aussi indiquer quelles sont nos attentes quant aux premiers soins du bébé, comme le contact peau à peau, le bain ou le mode d'alimentation envisagé – allaitement à la demande ou préparation lactée.

C'EST OUI

« JE NE SUIS PAS FERMÉE À L'IDÉE DE RECEVOIR L'ÉPIDURALE, MAIS J'EN FERAI MOI-MÊME LA DEMANDE SI J'EN RESSENDS LE BESOIN, MERCI DE NE PAS ME LA PROPOSER.

JE PRÉFÈRE TENTER DE ME SOULAGER PAR DES MÉTHODES PLUS NATURELLES. »

C'EST NON

« J'EXIGE UN DRAP-CONTOUR EN BAMBOU 300 FILS, LA COMPILATION D'ENYA EN BOUCLE ET DEUX BOUGIES À L'ODEUR DE LAVANDE DISPOSÉES SELON LES ENSEIGNEMENTS FENG-SHUI. »

À BAS LA CULPABILITÉ (OU LE REVERS DU PLAN DE NAISSANCE…)

Notre accouchement naturel de rêve se termine en césarienne d'urgence? Surtout, pas de culpabilité! À force de visualiser leur accouchement, certaines femmes vivent un deuil difficile quand les choses ne se passent pas comme prévu. L'accouchement n'est pas une épreuve de performance qu'on peut réussir ou rater, mais plutôt un puissant exercice de lâcher-prise. On garde l'esprit ouvert en se souvenant que l'objectif final est d'avoir un enfant en santé dans nos bras.

ACCOUCHER SANS PLAN DE NAISSANCE

Plusieurs femmes zappent l'étape du plan de naissance et disent ce qu'elles veulent au fur et à mesure. L'important, c'est de bien nous renseigner au préalable, afin d'être en pleine possession de nos moyens et de prendre des décisions éclairées tout au long de notre accouchement.

- - - - - - - - - - - - - - - - - - - -

C'est mon droit !

Voici les droits de la femme enceinte, que reconnaît l'Association de la santé publique du Québec :

- VIVRE LE TRAVAIL ET LA NAISSANCE DE NOTRE BÉBÉ À NOTRE RYTHME ET SANS INTERVENTION QU'ON NE SOUHAITE PAS.

- ÊTRE ACCOMPAGNÉE PAR LES PERSONNES DE NOTRE CHOIX PENDANT TOUTE LA DURÉE DU TRAVAIL ET DE L'ACCOUCHEMENT.

- REFUSER D'ÊTRE EXAMINÉE PAR DES ÉTUDIANTS.

- ÊTRE INFORMÉE SUR LES MOTIFS ET LES EFFETS, POUR NOUS ET NOTRE BÉBÉ, DE TOUTE INTERVENTION (DÉCLENCHEMENT, STIMULATION, FORCEPS, ÉPISIOTOMIE, PÉRIDURALE, MONITORAGE CONTINU, SÉRUM...) ET DE REFUSER CELLES QU'ON NE JUGE PAS PERTINENTES.

- BOIRE ET MANGER EN TOUT TEMPS.

- POUSSER ET ACCOUCHER DANS LA POSITION QUI NOUS CONVIENT LE MIEUX.

- LIMITER LE NOMBRE DE PERSONNES LORS DE LA NAISSANCE DE NOTRE ENFANT (PROCHES ET INTERVENANTS).

DANS MA VALISE, IL Y A...

MAMAN

Deux ou trois tenues
de nuit confortables, adaptées
à l'allaitement

Un peignoir ou une veste chaude,
pour les frileuses

Des pantoufles ou des sandales
confortables

Un ou deux soutiens-gorges
d'allaitement

Des compresses d'allaitement

De la crème à la lanoline,
pour les mamelons gercés

De grandes culottes confortables
qu'on jettera sans remords

Des serviettes hygiéniques
ultra-absorbantes

Du baume à lèvres et
de la crème hydratante

Une trousse de toilette

Deux copies de notre plan
de naissance, si applicable

Des collations à profusion

Un coussin d'allaitement, pour
sa fonction première, mais aussi
pour s'asseoir en cas d'hémorroïdes

Un oreiller, ceux de l'hôpital ne
favorisent pas toujours le sommeil

Les cartes d'assurance maladie
et d'hôpital

Les papiers d'assurances, si applicable, pour la chambre individuelle

Un cahier et un stylo
pour noter nos impressions

La liste de nos médicaments,
si applicable

Notre compilation de musique

Un jeu de cartes, un magazine
ou un livre, pour nous occuper
(le travail est parfois looong !)

BÉBÉ

PAPA

Des pyjamas et des cache-couches

...

Des bavettes et des petites
serviettes

Des petits bas

Un bonnet de coton

Des couches et des lingettes

Une ou deux couvertures douces et
légères pour emmailloter bébé

Une suce (au choix), mais on
suggère parfois que l'allaitement
soit bien installé avant de donner
une suce au nouveau-né

Des vêtements chauds, un nid d'ange
ou une housse d'hiver pour la sortie
de l'hôpital en saison froide

Un siège de bébé installé
dans la voiture

MÊME PAS MAL !

La question qui tue : est-ce que ça fait mal, accoucher ?
Hum, comment dire... Oui. Bien présente, voire intense,
la douleur n'est toutefois pas insurmontable.

UNE DOULEUR PORTEUSE DE SENS

On décrit souvent les contractions comme des vagues. Elles vont et viennent, certaines plus douces, d'autres plus houleuses. Un conseil d'amie : on les surmonte une à la fois, chacune nous rapprochant de notre bébé. Ainsi, entre les contractions, il devient possible de relaxer et de reprendre notre souffle. On oublie les secondes d'intervalles, la durée du travail, les centimètres... L'équipe médicale s'occupe des chiffres.

Contrairement aux douleurs occasionnées par la maladie, par exemple, la douleur de l'accouchement est porteuse de sens. Elle est positive, et son aboutissement est magique : on rencontrera enfin notre bébé !

GÉRER LA DOULEUR

I - Les méthodes naturelles

Depuis quelques années, l'accouchement naturel a retrouvé ses lettres de noblesse.

LE BON ENTOURAGE : Être bien accompagnée contribue à réduire le stress et à se sentir en confiance. On choisit notre escouade avec soin.

LE MOUVEMENT : Se lever, marcher dans les corridors, changer de position, balancer le bassin sur un ballon d'exercice... Être en mouvement aide à mieux supporter les contractions et accélère le travail, alors que rester étendue sur le dos exerce une grande pression sur les reins. On bouge !

L'EAU : Lorsque le bal des contractions est parti, il peut être fort bénéfique de prendre un bain, une douche ou encore d'appliquer des compresses d'eau chaude sur les points douloureux. Quand on est immergée dans l'eau, le corps et l'esprit se détendent, ce qui favorise le travail.

iNSPiRE ...

EXPiRE ...

iNSPiRE ...

EXPiRE ...

LA RESPIRATION ET LA VISUALISATION : On entre dans notre bulle et on ne laisse rien ni personne nous déranger. Quand la concentration gagne en intensité, la respiration devient notre ancrage. On visualise un cercle qui s'ouvre, un endroit paisible, des gens qu'on aime. On se connecte ainsi à notre enfant. Pour lui, c'est le voyage de sa vie, et il le vivra très intensément. On reste attentive à ses mouvements, à ses déplacements. On travaille en équipe jusqu'à sa naissance.

LE MASSAGE ET LES POINTS DE PRESSION : Il existe des techniques de massages non douloureux sur certaines zones sensibles pour bloquer la transmission au cerveau du message de douleur. On est à l'écoute de notre corps pour cibler les zones les plus réceptives. En prime, notre amoureux se sent un peu moins impuissant !

LA MUSIQUE : Écouter nos chansons préférées contribue à notre sentiment de détente. On se prépare une compilation sur mesure.

Pendant l'accouchement, on peut aussi avoir recours à L'HYPNOSE, LA SOPHROLOGIE, L'ACUPUNCTURE, L'ACUPRESSION OU L'AROMATHÉRAPIE. On en parle au préalable avec notre médecin ou notre sage-femme, les établissements n'offrant pas tous les mêmes services.

2 - *Les méthodes médicales*

Si la douleur devient trop intense, les solutions médicales peuvent être utilisées en renfort.

LE GAZ HILARANT : Méthode sécuritaire pour le bébé, et qui réduit généralement la douleur après deux ou trois inspirations profondes. L'effet disparaît cependant au bout de quelques minutes. Elle nous permet de reprendre un peu notre souffle, sauf qu'elle peut causer des nausées, des étourdissements, de l'hyperventilation ou de l'hypoventilation.

L'ÉPIDURALE : Elle bloque efficacement la douleur du travail et de l'accouchement. Elle ne devrait pas être administrée avant le travail actif, mais bien après une dilatation minimale de 3 ou 4 cm, lorsque l'intensité des contractions est de moyenne à forte et après s'être assuré que le bébé se porte bien. On note toutefois un risque de prolongation du deuxième stade de travail et la poussée est parfois plus difficile.

LES NARCOTIQUES : Ils permettent de soulager les femmes qui ne peuvent pas recevoir l'épidurale. Leur soulagement est incomplet et il y a plusieurs effets secondaires possibles, comme le transfert du médicament au bébé, qui peut entraîner une détresse respiratoire.

LE BLOC DU NERF HONTEUX : C'est une analgésie du périnée. L'effet se fait sentir en quelques minutes, il permet de diminuer la douleur périnéale lors de la poussée et de la naissance.

ON PART POUR L'HÔPITAL... OU PAS ?

Plusieurs femmes enceintes affirment avoir ressenti certains signes, physiques et physiologiques, dans les jours précédant le début du travail. Dans les faits, il existe seulement deux preuves que l'accouchement est amorcé : les contractions régulières et la perte des eaux. Mais on peut bien s'amuser !

Instinct de nidification : On a une envie irrésistible de ranger, d'ordonner, de nettoyer, de décorer. Cette frénésie de ménage serait instinctive, à l'instar des mamans oiseaux qui font leur nid juste avant la ponte... du moins c'est ce que nos grands-mères racontent ! N'appelons pas le taxi tout de suite : ce signe avant-coureur tiendrait du mythe.

Mouvements intestinaux : Les hormones (encore elles) sont responsables de plusieurs chamboulements, même en fin de grossesse. Ce sont les actions de la prostaglandine et de l'ocytocine qui sont responsables du ramollissement du col utérin... et des autres fibres musculaires, intestins inclus. Mais les soucis digestifs n'indiquent pas que l'accouchement est imminent.

Insomnie : On reste les yeux ouverts toute la nuit ? Il est normal, en fin de grossesse, d'avoir un sommeil perturbé. Encore une fois, pas de faux espoirs : il n'y pas de lien direct entre l'insomnie et le début du travail.

Douleurs au dos : Le lot de presque toutes les femmes enceintes, surtout en fin de marathon. Ces douleurs sont attribuables aux ligaments du bas-ventre qui, sous l'effet des hormones, s'assouplissent. Et ça non plus, ça n'annonce pas nécessairement le début du travail.

Bouchon muqueux : De simples pertes vaginales, glaireuses, coagulées et épaisses ? Oh que non ! Dans le folklore, on voit en la perte du bouchon muqueux la preuve ultime que bébé est en route. Vrai, le bouchon se constitue tout au long de la grossesse pour fermer l'orifice du col de l'utérus. Vrai, on peut l'expulser d'un seul coup, petit à petit ou encore sans le réaliser, dans les derniers milles de la grossesse. Malheureusement, le bouchon muqueux est aussi un sacré farceur. Si certaines femmes accouchent dans les jours qui suivent sa perte, d'autres devront attendre pendant des SEMAINES avant que cela se produise. Honte à toi, le bouchon...

Conclusion, mieux prendre notre mal en patience et laisser la nature nous surprendre !

- - - - - - - - - - - - - - - - - - - -

C'EST QUAND
TU VEUX, BÉBÉ !

À ce stade, on a sans doute lu beaucoup sur la fin de la grossesse et l'accouchement. Prostaglandines, bêta-HCG, colostrum... Si, au secondaire, on avait déployé autant de zèle en biologie, aujourd'hui on serait probablement présidente du Collège des médecins !

Et pourtant, malgré toutes nos lectures, on se demande parfois si on saura distinguer les fausses alertes des vrais signes annonçant le début du travail.

LES FAUSSES
CONTRACTIONS

On les dit fausses, mais croyez-nous, on les ressent pour vrai ! Depuis quelques semaines, notre utérus travaille. On sent un serrement, un tiraillement, une douleur qui irradie, passant du milieu du dos en allant vers l'avant ou encore parcourant le chemin contraire. Au moment le plus fort de la contraction, le ventre devient très dur. Elles ne signifient toutefois pas que l'accouchement est amorcé.

LES CONTRACTIONS
DE LA GRANDE SORTIE

Les vraies contractions, celles qui annoncent le début du travail, doivent se rapprocher les unes des autres, s'allonger dans leur durée et augmenter en intensité. On sort le chrono et on calcule à partir du début de la première contraction jusqu'au début de la suivante.

Si c'est notre premier accouchement, on attend que les contractions durent de 30 à 40 secondes et qu'elles soient aux cinq minutes depuis environ deux heures. Pour une deuxième ou troisième naissance, on peut quitter la maison après une heure.

Le petit truc pour nous aider à délimiter si le travail est réel ? On prend un bain ou une douche. Si les contractions s'estompent, ralentissent ou disparaissent sous l'effet apaisant de l'eau, inutile de se précipiter à l'hôpital ou à la maison de naissance. Si le travail est effectivement commencé, les contractions se poursuivront ou s'intensifieront.

Un doute ? On téléphone directement à la maternité, à notre accompagnante ou à la maison de naissance.

LA RUPTURE DES EAUX

On a perdu un liquide incolore, chaud et sans odeur ? C'est la rupture de la poche des eaux ! Peu importe la régularité de nos contractions, on part illico en direction de la salle d'accouchement. À cette étape, notre col est habituellement ouvert d'environ 2 à 5 cm.

J'APPELLE UN TAXI CHÉRIE !

41 semaines...
ou la grossesse
qui n'en finit plus !

Un peu trop bien dans son jacuzzi, notre bébé dépasse
la date prévue ? C'est une situation très fréquente,
surtout lors d'une première grossesse où seulement 5 %
des accouchements surviennent à la date prévue.
Chose certaine, toutes les femmes enceintes finissent
par accoucher un jour ou l'autre !

HUIT FAÇONS (SÉCURITAIRES) DE FAVORISER LE DÉCLENCHEMENT DU TRAVAIL

MARCHER

FAIRE DU MÉNAGE

S'ENVOYER EN L'AIR

MANGER UN CURRY ÉPICÉ

FAIRE UNE BALADE EN VOITURE

BONDIR SUR UN BALLON D'EXERCICE

STIMULER NOS MAMELONS

ESSAYER L'ACUPUNCTURE

* La science n'offre aucune garantie sur l'efficacité de ces méthodes! Au bout du compte, c'est bébé qui a le dernier mot!

Notre médecin peut aussi nous proposer de décoller nos membranes, une méthode appelée *stripping*. Avec l'aide de son doigt, le praticien décolle les membranes du sac amniotique du col utérin en effectuant un mouvement circulaire. Sans danger bien que très inconfortable, cette méthode n'a pas fait la preuve tangible de son efficacité.

TOUJOURS RIEN ?

Certaines interventions médicales sont utilisées pour provoquer l'accouchement, quand la date prévue est largement dépassée ou pour accélérer un travail très lent.

RUPTURE ARTIFICIELLE DES MEMBRANES : Le médecin brise le sac de liquide amniotique avec un long crochet en plastique, appelé crochet amniotique. Absolument sans douleur, cette méthode est employée quand le travail est déjà amorcé, alors que la poche des eaux est intacte. La rupture de cette dernière accélère habituellement le travail.

LE GEL DE PROSTAGLANDINE : On applique cette hormone pour ramollir et mûrir le col de l'utérus. C'est une façon douce de provoquer le travail, et qui agit en 3 à 5 heures.

L'OCYTOCINE (PITOCIN) : L'ocytocine est naturellement produite par le corps, mais cette hormone peut être administrée par intraveineuse. Le corps réagit alors comme si c'était lui qui l'avait produite et enclenche ou accélère le processus d'accouchement. Il peut aussi provoquer d'intenses contractions et entraîne habituellement une naissance rapide.

- -

NON, TOUJOURS PAS...

MAIS AU MOINS
C'EST VRAAAiiiMENT
PROPRE CHEZ NOUS !

L'ACCOUCHEMENT ÉTAPE PAR ÉTAPE

L'ARRIVÉE

Une fois arrivée à l'hôpital ou à la maison de naissance, on procède à un examen vaginal pour évaluer le stade du travail. Habituellement, si notre col est ouvert à 3 cm et que nos contractions sont au moins toutes les cinq minutes, on sera placée dans une salle de travail ou dans une chambre. Les heures sont comptées avant de rencontrer bébé !

PHASE 1 : LA DILATATION

Grâce aux contractions, le col de l'utérus s'efface, puis se dilate. D'abord lent, environ 1 cm à l'heure dans un premier temps, le travail s'accélère et s'intensifie vers 6 cm, pour atteindre une dilatation complète de 10 cm. C'est durant la phase dite active, entre 3 et 7 cm, qu'on peut nous proposer l'épidurale si on le désire.

Chrono : On estime que pour un premier bébé, l'étape de dilatation du col de l'utérus dure environ huit heures, mais ce peut être (vraiment) plus rapide ou (vraiment) plus long.

Le petit accident dont on ne vous parle pas : Les vomissements. Ils se produisent généralement pendant le travail, lorsque le col est dilaté à 5 ou 6 cm et que la tête du bébé commence à plonger dans le bassin.

PHASE 2 : L'EXPULSION

On ressent maintenant un urgent besoin de pousser. Normal, notre bébé est bien descendu dans le bassin, tête première appuyée sur le périnée. On pousse sous la commande de notre sage-femme ou médecin. Si les muscles du périnée manquent de souplesse, le médecin peut pratiquer une épisiotomie, une incision chirurgicale d'environ 2 à 6 cm, entre l'anus et le vagin, et accessoirement le cauchemar de toutes les femmes. Cette intervention sous anesthésie est toutefois de plus en plus rare.

Lorsque la tête est sortie, on s'assurera que le cordon ombilical n'étrangle pas bébé, et il ne restera qu'à faire une toute petite poussée.

Chrono : On estime que la phase de l'expulsion dure en moyenne de 10 à 40 minutes pour un premier accouchement. Encore ici, c'est une moyenne qui peut nous jouer des tours !

L'autre petit accident qu'on ne vous informe pas : Aaaah, le caca de la honte, tabou souvent esquivé dans les manuels de grossesse, trop sérieux pour ces basses considérations. Pourtant, il est très fréquent, se produisant entre 80 % et 90 % des accouchements par voie basse, et il angoisse en secret une large cohorte de futures mamans. Ce petit accident hors de notre contrôle arrive en même temps que l'envie irrépressible de pousser. Pas d'inquiétude ! Le personnel médical prendra en charge ce petit incident avant même qu'on s'en rende compte.

BÉBÉ EST LÀ

Bonheur! Consécration! Libération! On coupe le cordon ombilical et les premiers soins seront prodigués à notre enfant. On s'assure que tout va bien en procédant au test d'AGPAR, une méthode d'observation utilisée pour mesurer la santé du nouveau-né. À moins d'une complication, on dépose notre enfant sur nous pour le premier contact peau à peau.

PHASE 3 : LA DÉLIVRANCE

Quoi?! Notre bébé est dans nos bras et l'accouchement n'est pas terminé?!

Pendant les premiers contacts avec bébé, on ressent de nouvelles contractions : il est temps d'expulser le placenta. Pour nous aider, notre médecin ou sage-femme appuie généralement sur notre ventre. Lorsque le placenta est sorti, on l'examine bien, afin de s'assurer qu'il est complet et que des petits morceaux ne se trouvent pas encore dans notre utérus, ce qui pourrait l'empêcher de se refermer et occasionner une hémorragie. C'est aussi à ce moment qu'on procède aux points de suture, si nécessaire.

- - - - - - - - - - - - - - - - - - - -

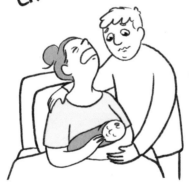

À L'ATTENTION DE L'ACCOMPAGNATEUR (PAR GRAND-PAPA FERNAND)

Libre à nous de choisir avec qui on souhaite vivre cette expérience unique: notre partenaire, notre mère, notre sœur, notre meilleure amie... Aucune règle d'or, la décision nous revient entièrement. Des établissements fixent la limite à deux personnes, alors que d'autres permettent autant d'accompagnateurs qu'on le désire.

À retenir: on peut changer d'idée à la dernière minute, et pour mille et une raisons. Le jour de l'accouchement, on est seul maître à bord!

Le parfait accompagnant...

• Est bien informé

• Reste calme

• Ne s'évanouit pas à la moindre goutte de sang

• Est notre porte-parole officiel devant l'équipe médicale

• Respecte nos choix et volontés du moment

• Apporte soutien, réconfort et encouragement

• N'envahit pas notre bulle

• Propose une aide concrète: massage, cubes de glace, sac magique, compresse d'eau froide...

*• Met de côté sa susceptibilité
(nos excuses d'avance si on vous parle un peu rudement)*

• Ne tient pas TANT que ça à ses phalanges

OUPS, ÇA NE FAISAIT PAS PARTIE DU PLAN !

VENTOUSES, SPATULES, FORCEPS...

Les extractions instrumentales consistent à faciliter la descente du bébé à la fin de l'accouchement, lorsque le col de l'utérus est entièrement dilaté. De façon générale, le taux de complications est légèrement supérieur à celui des accouchements spontanés, mais il reste inférieur à celui des césariennes. Les marques que ces instruments peuvent laisser ne durent habituellement que quelques jours.

CÉSARIENNE

Quelques exemples de situations qui rendent l'accouchement vaginal risqué ou même impossible :

LE TRAVAIL EST LENT ET DIFFICILE

ON A PERDU TROP DE LIQUIDE AMNIOTIQUE

LES CONTRACTIONS NE PERMETTENT PAS AU COL DE S'OUVRIR SUFFISAMMENT POUR LE PASSAGE DU BÉBÉ

LE BÉBÉ EST TROP GROS OU SE PRÉSENTE DANS LA MAUVAISE POSITION : PAR LE SIÈGE, PAR LES PIEDS, PAR LE CÔTÉ...

LE BÉBÉ EST EN DANGER

LE PLACENTA BLOQUE LE PASSAGE DU BÉBÉ (PLACENTA PRÆVIA)

Le déroulement

Généralement faite sous anesthésie épidurale ou spinale (le bas du corps est engourdi), la césarienne dure environ une heure. Le futur papa peut assister à l'opération.

Après avoir rasé les poils, on insère une sonde dans la vessie afin qu'elle reste vide pendant l'intervention. On installe également un soluté médicamenteux pour soulager la douleur au besoin. Le chirurgien pratique ensuite une incision dans l'épiderme, puis une autre dans la paroi de l'utérus. On sort bébé, on extrait le placenta, puis l'utérus est refermé à l'aide de points de suture qui seront absorbés naturellement par le corps.

K.O., mais c'est O.K.

On reste à l'hôpital de trois à cinq jours. Les médecins recommandent en général une période de quatre à six semaines avant le retour aux activités quotidiennes, comme soulever un poids plus lourd que bébé, conduire une voiture ou avoir des relations sexuelles.

Près d'un accouchement sur quatre se termine par une césarienne au Québec.

LA CICATRICE : Il est normal que la cicatrice soit sensible pendant quelques jours. On peut aussi ressentir de petites crampes, et connaître des saignements ou des écoulements légers.

L'ALLAITEMENT : Comme l'accouchement naturel joue un rôle dans la mise en place de réflexes primaires telle la succion, certains bébés nés par césarienne sont mal préparés à téter. Dans quelques cas, l'allaitement peut être difficile au cours des premiers jours.

UN CHOIX INDIVIDUEL ?

Il arrive que des femmes réclament une césarienne dite de convenance, soit pour des raisons non médicales – peur de la douleur d'un accouchement naturel, désir de protéger l'enfant d'une voie basse difficile, organisation plus facile, comme l'intervention est planifiée... Quant à Victoria Beckam, elle se disait tout simplement trop chic pour pousser, avant d'accoucher de ses trois garçons et de sa fille par césarienne.

À moins d'un motif médical, les médecins recommandent généralement d'éviter la césarienne, cette intervention chirurgicale comportant plus de risques qu'un accouchement vaginal. La plupart des césariennes se déroulent toutefois très bien et n'entraînent pas de complications durables.

AILLEURS DANS LE MONDE

Dans certains pays d'Asie, une croyance veut que le jour de la naissance soit important pour la destinée de l'enfant, ce qui nécessite une planification plus serrée du moment de l'accouchement, et donc augmente le nombre de césariennes de convenance.

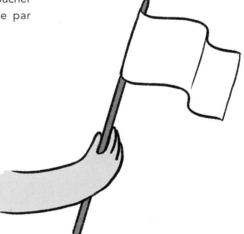

CHAPITRE 9

APRÈS TOI, LE DÉLUGE

POST-ACCOUCHEMENT

Notre petit ange est enfin dans nos bras.
Malgré la fatigue vertigineuse et le corps
en berne, on lévite de bonheur. Survol des
premières heures de cette histoire d'amour.

MON ALIEN ADORÉ

Notre bébé, c'est le plus beau, le plus craquant, le plus merveilleux. Malgré notre amour quasi aveugle, on ne peut s'empêcher de remarquer quelques anomalies franchement... extraterrestres !

TÊTE : Sa tête disproportionnée peut arborer une forme carrément bizarre – triangulaire, plate, asymétrique... L'explication ? Les différentes pressions exercées durant l'accouchement, alors que les os du crâne ne sont pas encore soudés les uns aux autres. On peut également observer des bosses ou renflements, qui disparaîtront bien vite sans laisser de traces.

YEUX : Il louche de façon intermittente ? Avant six mois, le strabisme n'est pas inquiétant, le nouveau-né n'ayant pas développé la capacité de voir simultanément avec les deux yeux. Il est aussi possible de remarquer de petits vaisseaux sanguins dans le blanc de ses yeux, après la naissance. Autre fait inusité : notre bébé pleure, sans produire de larmes. Un comédien-né ? Peut-être, mais plusieurs nouveau-nés n'ont tout simplement pas finalisé la construction des canaux d'où s'écoulent les larmes. Patience pour encore deux à quatre semaines !

BOUCHE : Les perles d'Epstein, malgré leur joli nom raffiné, sont des kystes blanchâtres qui tapissent les gencives et le palais des nouveau-nés. Elles toucheraient environ quatre bébés sur cinq et disparaîtraient en quelques semaines. Notre héritier a une ampoule au milieu de la lèvre supérieure ? C'est une cloche de succion, causée par la tétée. On surveille notre position d'allaitement !

VISAGE : Des points blancs constellent son adorable minois, surtout sur le nez ? Il s'agit de milium, une accumulation de matières grasses dans les pores de la peau. Nul besoin d'un facial, ils disparaîtront graduellement, au fil des jours. On remarque plutôt des petites taches rouges ? Ce sont peut-être les pétéchies, des éruptions cutanées causées par l'éclatement de minuscules capillaires lors de l'effort. Rien de grave, notre bébé affichera bientôt un sublime teint de pêche.

SEINS : Garçons et filles peuvent avoir les seins gonflés et même produire un peu de lait – oui, vous avez bien lu ! Vraiment bizarre, pourtant pas alarmant. C'est l'effet de la prolactine, hormone sécrétée pendant la grossesse et l'allaitement, qui est transmise au bébé. Le temps arrangera les choses.

NEZ : Il éternue une douzaine de fois par jour ? Notre nouveau-né n'a pas nécessairement le rhume, c'est que ses poils de nez ne sont pas assez développés pour jouer leur rôle de filtre naturel. Les éternuements le débarrassent des sécrétions qui gênent sa respiration.

ORGANES GÉNITAUX : Les petites lèvres des filles sont gonflées. Il est aussi possible qu'un peu de sang coule de leur vagin au cours de la première semaine, une mini-menstruation causée par les hormones transmises par la mère durant la grossesse. Pour leur part, les garçons peuvent avoir une érection. Le scrotum, gros et rouge, reprendra un volume normal dans quelques semaines.

TU SENS TELLEMENT BOOON !!!

NOMBRIL : D'abord blanc et humide, le cordon ombilical se dessèche et brunit au fil des jours. Il tombera par lui-même, entre 4 et 15 jours après la naissance. En attendant, on le nettoie et on le sèche religieusement après chaque bain.

POILS : Poils sur les épaules, sur le dos, quelquefois même sur les joues... Aurait-on accouché d'un ouistiti ?! Pas besoin de prendre un forfait chez l'esthéticienne : c'est le lanugo, les poils qui protègent la peau du fœtus contre le liquide amniotique, et il tombera bientôt !

INTESTINS : Les premières selles sont collantes et très foncées, vertes ou noires. Notre bébé est en train d'éliminer le méconium, soit les résidus accumulés dans son intestin lors de son séjour intra-utérin. Le lait maternel des premiers jours (le colostrum) facilite le nettoyage de son système digestif.

DIAPHRAGME : Notre glouton miniature a toujours le hoquet après ses boires ? Ce n'est ni dangereux ni douloureux. Au lieu de le faire sursauter, on lui redonne simplement le sein, pour en finir avec ses hics incessants.

URINE : Durant les deux premiers jours, on peut trouver des taches orangées (cristaux d'urate) dans la couche de notre bébé sans que ce soit inquiétant.

PEAU : Lors de sa sortie officielle, notre nouveau-né est badigeonné de vernix, un enduit blanc de protection fait sur mesure pour ses besoins. Sa peau est parfois ridée et ses extrémités peuvent être légèrement bleutées pour quelques jours. Son épiderme pèle ensuite comme un boa constrictor, en particulier aux pieds et aux mains. Cette grande mue touche particulièrement les bébés retardataires. À vos lotions hydratantes, toutes !

Comme tu grandis, mon bébé !

Dans les premiers jours de sa vie, notre enfant perdra environ 10 % du poids qu'il avait à la naissance. Il le regagnera en deux ou trois semaines.

Un bébé prématuré rejoindra la courbe de croissance des enfants de son âge lorsqu'il aura à peu près quatre ou cinq ans.

NOUVEAU-NÉ FRAÎCHEMENT TESTÉ !

Notre nouveau-né a tout juste quitté son cocon aquatique qu'on le soumet déjà à une batterie de tests pour s'assurer de sa bonne santé.

LE PROGRAMME QUÉBÉCOIS DE DÉPISTAGE NÉONATAL SANGUIN

Ce test gratuit pour tous les nouveau-nés de la province s'effectue entre 24 et 48 h de vie, juste avant le départ pour la maison.

Après avoir obtenu notre consentement, l'infirmière ou la sage-femme prélève quelques gouttes du sang de notre bébé en le piquant sur le talon. Ces dernières sont déposées sur un papier buvard, séchées puis envoyées au laboratoire de dépistage néonatal sanguin.

Le test vise à dépister des maladies très rares, mais très graves. Celles-ci affectent le fonctionnement hormonal, touchent le système sanguin ou encore nuisent au métabolisme. Plus on les dépiste tôt, plus le traitement peut commencer rapidement, idéalement avant que les premiers signes de la maladie n'apparaissent.

On sera informé des résultats seulement s'ils sont positifs ou à la limite de la normale.

LE TEST DE BILIRUBINE

Très courante chez les nouveau-nés, la jaunisse se remarque facilement par la peau et le blanc des yeux de notre bébé, qui deviennent jaunâtres. Le sang contient alors trop de bilirubine. Dans les hôpitaux, on dépiste la jaunisse dès la naissance afin d'intervenir rapidement. Si notre bébé court un plus grand risque, le médecin prévoira d'autres analyses sanguines de contrôle, au besoin.

LE PRÉLÈVEMENT D'URINE POUR LES MALADIES HÉRÉDITAIRES

Ce dépistage gratuit et volontaire s'effectue au 21e jour de vie de notre enfant, afin de traquer en amont des maladies graves, différentes de celles qui ont été testées par le bilan sanguin des premières heures de vie. Tout le nécessaire nous sera remis à notre sortie de l'hôpital – tampons absorbants, papier buvard, enveloppe préadressée et formulaire... Il ne manque que le sarrau blanc !

- -

INFO-FLASH
La visite médicale postnatale aura lieu environ six à huit semaines après la naissance de notre bébé.

LES PROUESSES DE NOTRE SUPERHÉROS

Sous son air vulnérable et inoffensif, notre bébé cache des réflexes primitifs impressionnants. Présents chez tous les mammifères, ces mouvements automatiques, bien que temporaires, assuraient à l'origine la survie du nouveau-né. Aujourd'hui, ils nous confirment simplement que tout va bien !

LE RÉFLEXE DES POINTS CARDINAUX : On caresse sa joue droite ? Il tourne la tête du côté de la zone stimulée, en ouvrant la bouche. C'est ce qui lui permet de trouver le sein. Bon d'accord, notre poupon n'est pas exactement un GPS sur deux pattes, sauf que c'est un réflexe plutôt pratique pour les photos ! On en profite jusqu'à ses trois ou quatre mois.

LE RÉFLEXE D'AGRIPPEMENT : C'est bien connu, le nourrisson serre très fort tout ce qui frôle et stimule la paume de sa main – notre doigt, une mèche de nos cheveux, la queue du chat... *Idem* si on exerce une légère pression sur la plante de ses pieds : les orteils se replient automatiquement. À l'origine, ce réflexe aurait permis aux bébés de s'agripper rapidement à leur mère en cas de danger. Aujourd'hui, il renforce surtout notre lien d'attachement ! Ce réflexe persiste jusqu'au 3e mois pour la main et au 10e mois pour le pied, pour se changer en préhension volontaire.

LE RÉFLEXE DE MARCHE AUTOMATIQUE : Il suffit de le soutenir sous les aisselles, en position verticale, et voilà notre apprenti marcheur qui se lance en mettant un pied devant l'autre. Plus, si on place un objet dur contre sa jambe, il lève son pied comme pour enjamber l'obstacle. Bien entendu, il ne peut pas encore soulever son poids (ni même sa tête, par ailleurs), donc impossible de marcher réellement avant de nombreux mois. Ce réflexe permettrait toutefois aux petits de certains mammifères de marcher dès leur naissance. Inutile (mais rigolo) chez les humains, il disparaît en général vers six semaines.

LE RÉFLEXE DE NAGE : Immergé dans l'eau, notre petit poisson va automatiquement fermer sa bouche et agiter ses bras et ses jambes, comme pour nager. Attention, ce réflexe ne signifie en rien que notre enfant peut patauger à sa guise dans son bain. On ne le lâche pas des yeux une seule seconde !

LE RÉFLEXE DE L'ESCRIMEUR : Quand notre bébé tourne la tête d'un côté, le bras du même côté s'allonge alors que l'autre se plie. Ce réflexe le prépare à atteindre et agripper des objets, en plus de confirmer son bon tonus musculaire.

LE RÉFLEXE DE DÉFENSE OU RÉFLEXE DE MORO : Un mouvement d'ascension ou de descente soudain, un bruit fort ? Notre bébé écarte les jambes, les bras et les doigts, avant de les ramener serrés contre son corps, dans un geste d'auto-protection. Des cris et des pleurs peuvent également se manifester. Ce réflexe aurait aidé les bébés de nos ancêtres primates à s'agripper à la fourrure de leur mère. De nos jours, il dénote le sens de l'équilibre de notre bébé et disparaît avant ses trois mois.

LE RÉFLEXE DE SUCCION : Indispensable à l'alimentation du nouveau-né, il est le seul réflexe archaïque qui persiste au-delà des premiers mois de vie !

- - - - - - - - - - - - - - - - - - - -

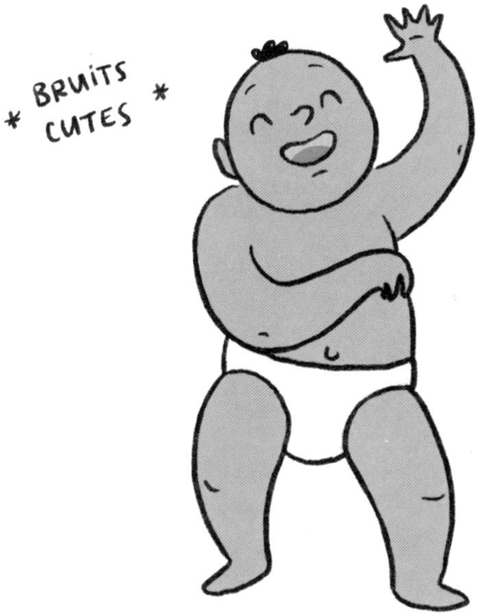

* JE VOUS FAIS BEAUCOUP DE SURPRISES À LAVER AUSSI, HIHI!

CE QU'ON VOUS A CACHÉ SUR LE POST-PARTUM

Après l'épreuve olympique de l'accouchement, on se sent ravivée par l'espoir de reprendre enfin le plein contrôle de notre corps. Vraiment ? Ne sortez pas les espadrilles tout de suite... Il y a des petits caractères cachés, loin en bas du contrat !

LES CONTRACTIONS, CE N'EST VRAIMENT PAS FINI

Après la naissance, les contractions de l'accouchement font place aux tranchées (oui, comme à la guerre), des contractions utérines qui servent à réduire la taille de l'utérus. Si on allaite, ces crampes se font plus intenses durant les tétées. En général, elles gagnent en importance à chaque nouvel accouchement – les joies de l'expérience ! Notre utérus reprendra sa taille normale de 4 à 8 semaines après l'accouchement.

ON FUIT DE PARTOUT, MAIS ALORS DE PARTOUT

Nos seins explosent comme des geysers au moindre soupir de bébé. Notre corps est victime de terribles bouffées de chaleur, en raison des changements hormonaux et de la baisse du volume sanguin. On a même des fuites urinaires, une conséquence navrante de l'anesthésie, de l'étirement des muscles et des blessures occasionnées par la naissance. Armée de nos compresses dans le soutien-gorge, de nos serviettes dans le fond de culotte, on se sent comme un vieux fauteuil rembourré.

ON A DES MENSTRUATIONS À LA PUISSANCE 10

Après l'accouchement, on perd du sang. Beaucoup de sang. Les pertes les plus intenses s'étalent sur environ deux semaines et sont plus abondantes que nos menstruations régulières. On utilise des serviettes ultra-absorbantes, adaptées aux lochies, de leur petit nom attachant. Nos pertes peuvent aussi contenir un charmant mélange de caillots, de débris de membrane placentaire et de suintement des plaies au niveau du col de l'utérus et du vagin.

Après deux semaines, les pertes diminuent et se déclinent en une vaste palette de couleurs, du rouge incendiaire au rose cerise Hollywood en passant par le brun cappuccino, le jaune pastel et le blanc de neige. Ces pertes hautement créatives peuvent durer jusqu'à six semaines.

ON MAUDIT CE TRAÎTRE DE PÉRINÉE

Après l'accouchement, le vagin et le périnée peuvent être gonflés et endoloris, et ce, malgré notre belle discipline d'entraînement Kegel durant la grossesse. Cet inconfort est souvent marqué dans le cas d'une déchirure ou d'une épisiotomie et s'accentue davantage quand on est en position debout, assise ou quand on doit soulever bébé dans sa satanée coquille – les ingénieurs peuvent envoyer des hommes sur la Lune, mais ne peuvent pas concevoir un siège d'auto pesant moins de 100 livres ?! En attendant ce jour béni, on applique de la glace, on s'assoit sur un coussin en forme de beigne et on prend des bains de siège de 10 à 15 minutes, plusieurs fois par jour.

ON A UNE PEUR PHOBIQUE DE LA TOILETTE

À la suite du trauma vécu en région sud (voir plus haut), le moindre pipi devient une véritable séance de torture. Durant la miction, on asperge notre vulve d'eau tiède pour réduire la sensation de brûlure. Il est également normal de ne pas aller à la selle pendant deux ou trois jours après un accouchement vaginal et de trois à cinq jours après une césarienne. Si on tarde davantage, on est peut-être constipée... ou simplement terrorisée à l'idée de faire exploser nos points de suture ! Les médecins se veulent rassurants : ils sont solides. Autre complication possible : les hémorroïdes, ces veines étirées et enflées dans la région de l'anus et du rectum. Cette complication fréquente de l'accouchement n'agrémente en rien nos visites à la salle de bain. On évite de forcer et on prévient la constipation en buvant beaucoup d'eau et en mangeant des fibres.

... ET ON A ENCORE PLUS PEUR DES RELATIONS SEXUELLES !

Si le moindre pipi est une épreuve, alors on imagine facilement que les galipettes ne sont pas à l'ordre du jour de bien des mamans ! Pas de presse. On conseille d'attendre de quatre à six semaines après l'accouchement, pour diminuer les risques de saignements abondants ou d'infections et éviter que les blessures au vagin ou au périnée s'aggravent. Le temps de retrouver l'envie, aussi...

ON PERD MASSIVEMENT NOS CHEVEUX

Ils sont partout : sur le plancher, dans la douche et même dans le hochet de bébé. Cette chute fulgurante causée par les changements hormonaux dure environ six mois. On se rassure : notre tignasse retrouvera ensuite son éclat initial.

ON A LE VENTRE PENDOUILLANT

Après l'accouchement, on perd environ 4 à 5 kg (9 à 11 lb), ce qui correspond au poids du bébé, du placenta et du liquide amniotique. Le ventre peut demeurer flasque pendant quelque temps, car les muscles ont été étirés par la grossesse. On se laisse plusieurs mois pour retrouver notre taille. Objectif : 1 à 2 kg (2 à 4 lb) par mois. Le meilleur moyen d'y arriver est de manger de façon équilibrée et de faire de 15 à 30 minutes d'activité physique d'intensité moyenne chaque jour. Pas de régime, surtout si on allaite !

Autres petits inconforts possibles

• Des courbatures et des maux de dos, l'accouchement nous faisant découvrir plein de nouveaux muscles.

• Les infections urinaires, car les hormones distendent la vessie et l'empêchent de se vider complètement, ce qui favorise la prolifération des bactéries.

• Des vergetures sur les seins, le ventre et les cuisses, surtout si on a pris du poids rapidement pendant la grossesse

• Les chevilles enflées pendant environ une semaine après l'accouchement.

L'après-césarienne

La récupération peut être plus longue, et les douleurs plus importantes, pour celles qui ont eu une césarienne. Les antidouleurs sont souvent prescrits pendant une ou deux semaines.

· ON ÉVITE DE MONTER ET DE DESCENDRE LES ESCALIERS.

· ON PRIVILÉGIE LA DOUCHE, ON ÉVITE LES BAINS OU LES PISCINES.

· ON NE CONDUIT PAS.

· ON NE REPREND PAS LE JOGGING, LE VÉLO OU LES EXERCICES D'AÉROBIE AVANT LES SIX PREMIÈRES SEMAINES.

· ON NE SOULÈVE PAS D'OBJETS PLUS LOURDS QUE NOTRE BÉBÉ.

BÉBÉ, J'AI LES *BLUES* !

LE *BABY BLUES*, OU LE SYNDROME DU TROISIÈME JOUR

Quand les hormones chutent, les émotions grimpent ! Encore hier, on flottait au septième ciel de la maternité, puis soudainement, sans crier gare, notre petit monde s'est écroulé. On est submergée, épuisée, dépassée, tétanisée, irritée, en larmes... Que se passe-t-il ?

Jusqu'à 80 % des nouvelles mamans vivent un épisode de *baby blues*, aussi appelé le syndrome du troisième jour. Il s'agit d'abord d'un phénomène hormonal : les hormones de grossesse chutent drastiquement, alors que celles qui favorisent l'allaitement sont produites en grande quantité. Ce débalancement crée une sensation de déséquilibre. Notre corps disjoncte : fatigue, émotivité, irritabilité, désespoir, insomnie, sentiment d'incompétence ou de solitude...

En prime, la plupart des mamans expérimentent alors la nouvelle spécialité de la maison : la culpabilité ! On devrait vivre le plus beau moment de notre vie, et pourtant, on broie du noir.

Ajoutez à ce cocktail explosif, l'épuisement et les douleurs physiques (donner la vie, ce n'est pas rien !), le manque de sommeil des derniers jours, l'adaptation express à de nouvelles responsabilités majeures, et il est plus que normal d'être fragile et vulnérable.

ON FAIT QUOI ?

Le *baby blues* disparaît en général comme il est arrivé, subitement et sans traitement particulier. Il peut perdurer quelques semaines, mais les nuages finissent par se dissiper. On se confie à notre entourage, on dort autant que possible (même une courte sieste), et surtout, on apprend le laisser-aller. Lavage, ménage, vaisselle, cuisine peuvent attendre – ou mieux, être faits par une âme charitable !

ALLEZ, ON S'EN VA !

LA DÉPRESSION POSTNATALE

Encore taboue, il s'agit pourtant d'un ennui de santé sérieux et fréquent à la suite d'un accouchement.

Parfois confondue avec le *baby blues* ou l'épuisement parental, la dépression post partum peut survenir à n'importe quel moment durant l'année suivant la naissance de notre enfant.

Profonde tristesse, épuisement permanent, changement d'appétit, sentiment de dévalorisation, culpabilité excessive, irritabilité, extrême anxiété, désintérêt pour toute activité ou les soins à prodiguer au bébé, incapacité de s'occuper correctement de notre enfant, impression que les choses ne s'amélioreront jamais...

Si on observe certains de ces symptômes et qu'ils durent au moins deux semaines, sans aucune bonne journée, il est important d'aller chercher de l'aide rapidement. La dépression nécessite une prise en charge psychologique et parfois même médicamenteuse.

Pour une assistance immédiate, on appelle Info-Santé (8-1-1) ou la LigneParents, un service d'intervention accessible jour et nuit, gratuit et confidentiel (1-800-361-5085).

Quelques trucs pour se sentir mieux

SE COLLER LE PLUS POSSIBLE À NOTRE BÉBÉ. Peau à peau, écharpe de portage, sentir son cou et ses cheveux... On stimule alors la production de l'ocytocine, ce qui diminue le taux de cortisol, l'hormone du stress.

ALLER DEHORS. Même à petite dose, l'air frais, la nature et le soleil permettent de se ressourcer.

ÉCOUTER NOTRE INSTINCT. On nous répète de ne rien faire, mais parfois, on a besoin de s'activer pour apprivoiser notre nouveau rôle. Si la léthargie nous sape le moral, on se lance dans l'action, tout en restant à l'écoute de nos limites.

SE FAIRE PLAISIR. Manger un dessert gourmand, profiter d'un silence dans la maison, lire un roman en allaitant, s'acheter un t-shirt sympa, se faire masser à la maison... On se permet quelques extras, sans contrainte.

SE DONNER DU TEMPS pour intégrer notre nouvelle vie.

DEMANDER DE L'AIDE. Concrètement. On guide nos proches vers des tâches bien précises.

NOTRE PREMIER CONTACT AVEC L'ALLAITEMENT

Au cours des deux premiers mois, notre bébé devrait téter de 8 à 12 fois toutes les 24 heures. Par la suite, il se contentera de 6 à 8 tétées quotidiennes.

LES PREMIÈRES HEURES

Tout au long de la grossesse, les hormones nous préparent pour l'allaitement. Après l'accouchement, on nous invitera à profiter de la première période d'éveil de notre nouveau-né, habituellement dans les deux premières heures, pour le mettre au sein.

Le colostrum, un liquide jaune et épais riche en vitamines et minéraux, est alors sécrété. Il joue un rôle anti-infectieux essentiel en transmettant nos anticorps au bébé. Il est produit en petites quantités, car notre bébé n'avale que quelques millilitres de lait durant ses premières tétées.

Entre le deuxième et le cinquième jour, le colostrum sera remplacé par le lait maternel. La quantité produite augmente alors très rapidement, même si on n'allaite pas. Aucune maman n'échappe à la montée laiteuse! On s'enveloppe de feuilles de chou vert, comme une momie végane (fait vécu).

PAR ICI, LES FEUILLES DE CHOU !

La véritable montée de lait survient habituellement de 30 à 40 heures après la naissance. Les seins sont chauds, gonflés, tendus, douloureux. Cet inconfort dure deux ou trois jours. On peut appliquer des feuilles de chou froid sur les seins pour soulager les tensions.

AAAHHHH...
JE SUIS MAINTENANT UNE SIRÈNE SOULAGÉE !

Si QUELQU'UN ME REPROCHE D'ALLAITER EN PUBLIC, J'AI DORMI 3H CETTE NUIT, ALORS TANT PIS POUR LUI.

Des tétées fréquentes pendant cette période (plus de 8 fois en 24 heures), de jour comme de nuit, font en sorte que la montée laiteuse arrive plus rapidement et que les seins ne deviennent pas trop engorgés. La production de lait répond à la loi de l'offre et de la demande : plus bébé boit, plus nos seins produisent de lait.

On suggère d'allaiter à la demande, dès que le bébé montre les premiers signes de faim :

SES YEUX BOUGENT SOUS SES PAUPIÈRES

SA BOUCHE FAIT DES MOUVEMENTS DE SUCCION

SES BRAS ET SES JAMBES S'AGITENT

Jusqu'à l'âge de six mois, les pleurs sont le dernier signe de faim, l'ultime recours de bébé si on a loupé les signes précédents (assez discrets, disons-le !). Quand on arrive au stade des pleurs, bébé est plus affamé – et énervé – ce qui est moins optimal pour boire !

Quand la tétée se déroule pour le mieux, on peut observer les mouvements de sa mâchoire qui démontrent qu'il avale bien le lait. La prise est douloureuse ? On retire bébé doucement, en insérant notre petit doigt au coin de sa bouche, puis on le replace.

– – – – – – – – – – – – – – – – – – – –

LES DIFFÉRENTES POSITIONS

LA MADONE

FOOTBALL

LA MADONE
INVERSÉE

SEMI-ASSISE

COUCHÉE SUR
LE CÔTÉ

L'omerta
du biberon

Les preuves sont claires : le lait maternel est ce qu'il y a de mieux pour l'enfant. Mais si cette option ne nous convient pas, que ce soit par choix ou pour des raisons indépendantes de notre volonté, les biberons ne nous vaudront certainement pas une place dans la liste noire de la parentalité.

NE PAS ALLAITER N'EST PAS UN ÉCHEC !

CONCLUSION

JE RÊVE DE PRENDRE UNE DOUCHE.

LE RETOUR À LA MAISON

(ou le début de notre nouvelle vie !)

Si notre accouchement s'est déroulé sans complication et que notre bébé est en forme, notre séjour à l'hôpital ne devrait pas durer plus de 48 heures, voire moins dans certains centres hospitaliers.

On nous lâche *lousse* dans la nature, en nous offrant pour tout soutien une bible gratuite du parfait parent et une joyeuse tape dans le dos. Notre mission est pourtant colossale : prendre soin d'un minuscule humain sans défense. Une responsabilité qui nous incombe de jour comme de nuit, sans possibilité de vacances ni de congé, et pour laquelle il n'existe aucun mode d'emploi.

Aussitôt la porte franchie, mille et une questions risquent de nous traverser l'esprit. Boit-il suffisamment ? Respire-t-il encore ? C'est quoi, ce nouveau bouton sur sa fesse gauche ? Vais-je un jour pouvoir dormir plus de deux heures d'affilée ?

Normal. Le retour à la maison est une grande étape d'adaptation, un passage obligé pour se découvrir une force, une résilience et un amour insoupçonné pour cet être fascinant, certes, mais qu'on commence tout juste à apprivoiser.

Les changements de couches, les boires en série, la traduction simultanée des pleurs, le décryptage de son rythme de sommeil, les échelons captivants de son développement, les dents qui percent, la diversification alimentaire menée par l'enfant... Ces petits et grands défis marquent le début d'une toute nouvelle aventure... et le sujet d'un tout autre guide de survie !

-- --

À SUIVRE ...

Parfum d'encre remercie l'équipe de Maman pour la vie,
pour la mine d'informations qui a jeté les bases de ce guide.

REMERCIEMENTS (ET EXCUSES)

Merci à Ann, Julie et Mariève, la fabuleuse équipe de Parfum d'encre, de m'avoir fait confiance avec ce projet d'accouchement littéraire en moins de quarante semaines (mais sans nausées ni forceps!).

Merci à Véronique, ma sœur adorée et maman d'Arthur, de m'avoir prêté ses récents livres de grossesse avec, en prime, un clin d'œil appuyé chaque fois que je rappelais que c'était JUSTE POUR UN LIVRE!

Merci à mon amoureux, pour son enthousiasme et sa rigueur scientifique, même s'ils impliquent d'interrompre systématiquement toute conversation pour googler la formation des cristaux d'urée ou l'équation affine de la fonction linéaire.

Mes excuses à Mark Zuckerberg, pour avoir bousillé ses algorithmes en restant totalement indifférente aux tire-lait électriques et vêtements de maternité proposés au quotidien.

Et merci à toi, future maman, qui a eu un jour l'envie un peu folle mais tellement gratifiante de te lancer dans cette grande aventure... et d'y voir la possibilité de rire un peu!

UN APERÇU D'ANA QUI EST PASSÉE PAR TOUTES LES ÉMOTIONS
EN SE RENSEIGNANT SUR LE SUJET MYSTÉRIEUX DE LA GROSSESSE :

CONCLUSION : LES MÈRES SONT DES GUERRIÈRES ! ♡

DANS LA MÊME COLLECTION

INDEX

Groupe d'édition la courte échelle inc.
Division Parfum d'encre
4388, rue Saint-Denis, bureau 315
Montréal (Québec) H2J 2L1
www.parfumdencre.ca
facebook.com/parfumdencre
@parfumdencre

Éditrice : Ann Châteauvert
Révision : Thérèse Béliveau
Correction : Françoise Côté
Direction artistique : Julie Massy
Graphisme : Catherine Charbonneau

Dépôt légal, 2019
Bibliothèque nationale du Québec

Le Groupe d'édition la courte échelle reconnaît l'aide financière du
gouvernement du Canada pour ses activités d'édition. Le Groupe d'édition la
courte échelle reçoit l'appui du gouvernement du Québec
par l'intermédiaire de la SODEC.

Le Groupe d'édition la courte échelle bénéficie également du Programme de
crédit d'impôt pour l'édition de livres — Gestion SODEC — du gouvernement
du Québec.

**Catalogage avant publication de Bibliothèque et Archives nationales
du Québec et Bibliothèque et Archives Canada**

Titre : Survivre à la grossesse et plus encore… /
Julie Champagne ; illustrations, Ana Roy.
Noms : Champagne, Julie, 1981- auteur.
Description : Comprend un index.
Identifiants : Canadiana (livre imprimé) 20190017295 |
Canadiana (livre numérique) 20190017309 | ISBN 9782924251744 |
ISBN 9782924251751 (EPUB) | ISBN 9782924251768 (PDF)
Vedettes-matière : RVM : Grossesse—Humour.
Classification : LCC RG525 C43 2019 | CDD 618.2—dc23

Imprimé au Canada
R202104